閱讀新視界・生活新主張

閱讀新視界．生活新主張

閱讀新視界・生活新主張

閱讀新視界・生活新主張

歷史經典四

唐浩明 著

曾國藩野焚

卷(一)

出版者序

「曾國藩」一書分血祭、野焚、黑雨三卷，是一部百餘萬字的長篇歷史小說。作者唐浩明先生研究清史十餘年，蒐集的資料堆滿家中書房，對曾國藩及太平天國歷史的考究尤爲深刻。作者以輕鬆的筆調，用小說的方式撰寫此書，內容符合史實，其中人物的刻畫與描寫，生動而傳神，充分發揮了作者的文學才華與史學功力。

此書以曾國藩爲主軸，寫他治軍行事的用人方針，也寫他的處世哲學與人生觀，以清末衆多的歷史人物如朝中大臣——如胡林翼、左宗棠、李鴻章……等爲軸，交織此一長篇鉅著，書中情節的發展，絲絲入扣，能吸引讀者不斷產生興趣，愛不釋卷。

曾國藩是影響清末歷史的一位重要人物，他創造湘軍，以捍衞孔孟名敎爲號召，弭平洪揚。其立身行事，爲後代諸多知名人氏所推崇。但作者也藉書中人物表達了歷年來人們的另一種觀點：曾國藩平定太平天國後，囿於忠君敬上，保全已身之小節，自剪羽翼，裁撤二十萬湘軍，無視滿清腐敗、生靈塗炭、救國救民之大義，辜負億萬百姓期望驅除羶腥，恢復神州之熱望，徒讓史册留下一樁憾事。當然，對歷史的評價，有見仁見智之看法，端視讀者從何種角度去研判！或許當讀者閱覽此書時，對書中之主角會有不同之評論。

此書在大陸出版時，曾造成搶購熱潮，本公司取得台灣版權後，以繁體字印行，也引起熱烈回響。今再版出書，又經細校，期望達到無錯字的地步，或仍有疏漏，尚祈讀者不吝指正。

胡明威

作者序

因緣際會，在一次湖南省由漢湘文化學辦的台灣區文具玩具禮品大展中認識了漢湘文化的胡明威先生，由於先前曾透過岳麓書社胡社長將版權轉讓給漢湘文化，這一次展覽會中見到了胡先生得悉「曾國藩」一書在台灣的風評極佳，但因書中一直沒有作者的序言，故利用此次展覽的機會，託胡明威先生將序言帶回台灣。

從事清末歷史的研究已有十餘年，所搜集的資料已堆滿了家中的書房，對於曾國藩的考究、太平天國歷史的鑽研尤其感到興趣。由於歷史故事於撰述時若以考究的方式來完成，對於讀者來說，總有枯澀乏味之感，因此在撰曾國藩一書時，除對當時史事的詳加考究之外，也以較輕鬆的小說方式表達，筆者自認對人物的刻畫描寫，下了很大的功夫，並在劇情的發展上力求時時能吸引讀者不斷產生興趣，從而達到對清末歷史的瞭解，對曾國藩、左宗棠、李鴻章的故事有所感。

撰寫歷史小說是一件看似簡單的工程，但是如果內容要符合史實，那就得花下不少的時間加以完成，這一套書的撰寫共計花費了三年的時間，內容亦做了多次的不斷修改，由於有所耕耘，因此在大陸出版時能造成搶購的轟動。目前連社裏均已無存書，希望此次書籍於台灣問市，亦能造成熱潮，也希望購買此套書的讀者，於閱讀完後能夠肯定筆者所做的努力，才能促使有更好的佳作誕生。

最後要感謝岳麓書社社長胡遐之先生、中國湘普電腦公司李昌軍先生、台灣漢湘文化胡明威先生的支持，才能使此書於台灣順利印出出版，也祝此套書籍銷售成功。

目錄

〈卷二〉

〈卷二〉

第三章　强圍安慶

八 秦淮月夜，曾國藩强作歡顏，爲開缺回籍的弟弟餞行……………………………………261

第一章　進軍皖中

一　醜道人給曾國藩談醫道：岐黃可醫身病，黃老可醫心病

入夏以來，天氣一天比一天炎熱，近半個月，湘中一帶又刮起了火南風。這風像是從一座巨大的火爐中噴出似的，吹在人的身上，直如火燎炭烤般地難受。山溪溝渠中的水，全被它捲走了，連常年行船的涓水河，也因水淺而斷了航。禾田開了坼。幾寸寬的坼縫裏，四腳蛇在爬進爬出。已揚花的禾苗，因缺水而顯得格外的枯黃乾癟。半死不活的，連狗都懶得多叫一聲，成天將肚皮貼在地上，吐出血紅的舌頭喘粗氣。人們在搖頭嘆息。上了年紀的人都說，三十年沒有見過這樣惡毒的火南風了，這是連年戰亂不休，互相殘殺，引起了天心震怒。火南風是上天對世人的懲罰啊！

午後，天氣更加燥熱，一向最能吃苦的荷葉塘農夫，這時也忍受不了烈日的無情炙烤，都躲在茅屋裏不敢出來。四野靜悄悄的，只有一聲接一聲尖厲單調的蟬鳴，從粉牆外的柳樹葉上，傳進黃金堂兩邊廂房裏，合著屋子裏混濁不清的老年男子的哼哼聲，使這一帶的空氣益發顯得滯悶難耐。

黃金堂東西兩邊共有十多間廂房，它是曾府中最好的住屋，東邊住著曾國藩一家人，西邊

住著曾國荃一家人。去年秋天，曾國華應李續賓之邀去了湖北，緊接著曾國荃也重返吉安戰場。這幾天裏，曾國荃的妻子熊氏就要臨產了。兩個月前，紀澤的妻子賀氏在黃金堂難產死去。賀家坳的張師公說黃金堂有鬼，賀氏是被那鬼捉去當了替身，賀氏也要在此找替身。熊氏很害怕，一心想請張師公進來捉鬼，但又怕大伯罵。因爲曾國藩素來恪遵祖父星岡公家教，不准巫師進門。妯娌們商量後，決定請張師公在曾國藩午睡時進府來做道場。

吃過午飯後，看著曾國藩睡下了，張師公帶了一個小徒弟，偷偷地進了黃金堂，將熊氏臥房關好，在裏面點起蠟燭線香，穿上法衣，仗著一把桃木劍，作起法來。一切都是輕輕地：輕輕地跳躍、輕輕地念咒、輕輕地敲鑼。看看道場快要完了，誰知小徒弟一不愼，將擱放在櫃頂上的一面鑼碰了下來。在這安靜的午後，這一面鑼掉在舖著青磚的地上，猶如放炮打雷，發出驚天動地的響聲。

「什麼鬼名堂！」正在東邊廂房裏睡覺的曾國藩被驚醒了，他憤怒地坐起來，大聲喊叫。西邊廂房裏，歐陽夫人、熊氏、伍氏幾妯娌嚇得不敢做聲。歐陽夫人忙跑過來，氣喘噓噓地說：「沒什麼，一面破鑼摔下來了。」

「鑼爲何摔下來？」曾國藩望著夫人臉色發白，神色驚慌，覺得奇怪。

「是老黃貓弄下來的。」歐陽夫人急中生智。

曾國藩走出東廂房，來到正廳。只見西邊房門緊閉，門縫裏隱隱約約透出一絲烟氣來。曾國藩怒氣冲冲地走過去，一脚將門踢開，身穿法衣的張師公和精心佈置的道場，立刻毫無遮攔地展現在曾國藩的面前。曾國藩這一氣非同小可。他衝上前去，一把抓住張師公，破口大罵：「你是哪個？狗膽包天，敢在我家胡作非爲！」

乾瘦的張師公早嚇得魂不附體，雙膝跪在曾國藩面前，哀求道：「曾大人，小人不是私自闖進來的，是九太太要我來的呀！曾大人，你老饒命，饒命！」

張師公連連磕頭，小徒弟看著這個凶神惡煞般的曾大人，早嚇得哇哇大哭起來。熊氏也嚶嚶哭著，挺著大肚子，走到曾國藩身邊：「大伯，都是我的不好，是我叫他來的。大伯，你就罵我打我吧！」

「你們這批蠢豬！」曾國藩瞟了一眼熊氏，又環視著站在一旁的歐陽夫人、伍氏，「祖父在生時，是怎麼教訓的？這兩年，我們兄弟在江西不順利，都是讓你們這批賤人把師公巫婆引進黃金堂來弄壞的。厚仁！」曾國藩高叫滿弟曾國葆的乳名，曾國葆慌慌張張地跑來。

「把這個鳥師公給我趕出來！什麼亂七八糟的道場！」說罷，鐵青著臉回到了東廂房。

坐在竹床上，出了半天粗氣後，曾國藩的情緒慢慢平息下來。回家守父喪以來，他不斷地回憶這些年帶兵打仗的往事，每一次回憶，都給他增加了一分痛苦。一年多裏，他便一直在痛苦中度過。比起六年前初回荷葉塘時，曾國藩已判若兩人。頭髮、鬍鬚都開始花白了，精力銳減，氣勢不足，使他成天憂心忡忡。尤其令他不可理解的是，兩眼昏花到看方寸大小的字都要戴老花眼鏡的地步。他哀嘆，尚不滿五十歲，怎麼會如此衰老頹廢！他甚至恐懼地想到了死。但他絕對不甘心。假若這時眞的死去，他曾國藩千年萬載都不會瞑目，他那縷屈抑不伸的怨魂，日日夜夜都會繞著高嵋山岫，飄在涓水河上，永遠不會化開。是的，曾國藩怎麼想得通呢？這些年來，爲了皇上的江山，他眞可謂赴湯蹈火、出生入死，到頭來，江西的局面一籌莫展，不僅糧餉難籌，連他本人和整個湘勇都受到猜忌。天下不公不平的事，還有過於此嗎？

去年回家不久，他收到了湖南巡撫衙門轉來的上諭，賞假三個月，假滿後仍回江西督辦軍務。他深知江西軍務的難辦，估計無人可以代替自己，遂援大學士賈楨的先例，請皇上同意他在籍終制。皇上不允。曾國藩心中暗自高興，對付長毛，皇上到底還是知道缺他不可，於是趁機向皇上要督撫實權。說非如此，則勇不能帶，仗不能打。誰知此時，何桂淸正任兩江總督，他利用兩江的富庶，傾盡全力支持江南大營，雄心勃勃地要奪得攻下江寧的首功。江南大營在源源不斷的銀子的鼓勵下，打了幾場勝仗，形勢對淸廷有利。咸豐帝便順水推舟，開了他的兵部侍郎缺，命他在籍守制。曾國藩見到這道上諭後，冷得心裏直打顫，隱隱覺得自己好比一個棄婦似的，孤零零、冷冰冰。

後來，湘勇捷報頻傳。先是收復蘄水、廣濟、黃梅、小池口，接著水師外江內湖會合，奪取了湖口，打下了梅家洲。四月，又一舉攻克九江城，林啓容的一萬七千名太平軍全軍覆沒。爲此，官文、胡林翼賞加太子少保銜，李續賓賞加巡撫銜，楊載福實授水師提督，彭玉麟授按察使銜，均賞穿黃馬褂。消息傳來，曾國藩又喜又愧。喜的是自己親手創建的湘勇，建立了如此輝煌的戰功；慚愧的是自己過去自視太高了。這一年多來不在前線，湘勇水陸兩支人馬在胡林翼、李續賓、楊載福、彭玉麟的指揮下，反而打得更好。看來，對付長毛的能人多得很。

於是，曾國藩又添三分痛苦：照這樣下去，湘勇很有可能在一年半載中便打下江寧；自己建的軍隊，却讓別人驅使著，摘下那顆蓋世碩果。這個滋味，曾國藩無論如何不願意去品嚐。他幾次想向皇上請纓，但終究不敢下筆。這樣出爾反爾，豈不貽笑天下？思前想後，左右爲難，曾國藩的病情愈來愈嚴重，心情愈來愈煩躁。這一來，他看什麼都不順眼，常常無端發脾氣，弄得曾府上下，人人提心吊膽。但他畢竟還是有節制的，像剛才這樣粗暴的行動、粗鄙的話，過去還沒有出現過。今天發作，事出有因。

銅鑼掉在地上之前，他正在作一個惡夢：江寧攻下了，最先衝進城裏的，竟是僧格林沁的蒙古馬隊，接下來的是耀武揚威的旗兵、綠營，多隆阿、官文、桂明等人騎在高頭大馬上，神氣十足地走在前列；江面上，何桂清指揮著胡林翼、李續賓、彭玉麟、楊載福等人在搖旗吶喊，城門外、大江裏，四處是湘勇血肉模糊的屍首。一會兒，咸豐帝來到了江寧，接受了僧格林沁的獻俘。皇上給每位立功者都賞了一件黃馬褂。江寧城裏，一片金燦燦的。忽然，曾國藩驚訝地發現，德音杭布也披著一件黃馬褂，在向皇上哭訴著什麼。皇上聽著聽著，大喝一聲：「帶曾國藩！」曾國藩心驚肉跳。正在這時，哐啷一聲，他驚醒過來了……

歐陽夫人端來一碗冰糖蓮羹。他吃了兩口，心裏略覺舒坦一點：「九弟妹還在哭嗎？」

「還在哭，勸都勸不住，她說她一個人在這裏害怕。」歐陽夫人拿起竹床上一把大蒲扇，輕輕地給丈夫扇著，「你們男人哪裏曉得，女人生孩子，和男人上戰場一個樣，肚子一旦發作，是生是死，難以預料，況且賀妹子死去不久，你叫弟妹怎麼不怕？她說大伯不讓捉鬼，她就打發人去叫老九回來壯膽。」

「眞是婦道人家！老九爲女人生孩子回來，他的臉往哪裏放？」想起兄弟在前線打仗賣命，自己爲這點事對弟妹大發脾氣，太對不起兄弟了。曾國藩懷著歉意對夫人說：「你再過去對她說，剛才是大伯不對。大伯這些天心煩，容易發脾氣。再說，她違背祖訓，偷偷請師公到家裏來作道場也不對。若是眞害怕，明天派一頂轎，送她回娘家去生孩子，滿月後再回來，大伯爲她母子接風。」

「好，有你這句話就行了。」歐陽夫人感激地望了丈夫一眼，順手接過空碗，說：「我這就去告訴九弟妹。」

「哥，那個騙人的張師公走了。」過了一會，國潢進來稟告，「我狠狠地罵了他一頓，警告他，今後若再進曾府大門，我就打斷他的狗腿。張師公說他再也不敢來了。」

這些年，曾府四爺經營家政，比以往更神氣、派頭更大了。這不僅因爲老六、老九每攻下一座城池時，便大量往家裏搬運金銀財寶，還因爲曾家手握重兵；亂世年頭，誰能不畏懼，不巴結？湘勇在外面打仗，湘鄉縣四十三都的反應，比上報給皇上的奏章還要來得快而準確。只要看到永豐河、涓水河上行駛著裝滿貨物的船隊，便可知湘勇最近打了勝仗。世世代代窮怕了的作田人，看著這些財物，眼紅得不得了，都要把兒子、丈夫往湘勇裏送。自己找上門的，輾轉托人說情的，天天不斷，把曾四爺捧得暈暈乎乎。這一年多來，國潢見哥哥心情不好，時常生病，心裏很著急，四處延醫求藥，打聽偏方，一心巴望哥哥早日恢復健康，好重上戰場，爲曾家攫取更多的財富更高的地位。昨天，他又有了新發現。

「哥，蔣市街碧雲觀裏來了個遊方道士，有起死回生的絕技，什麼疑難怪病，他都可以治得好。明天我陪哥去見見他如何？」

「一個遊方道士能有這樣高的醫術？」曾國藩懷疑地問，「你聽誰說的？」

「雁門師親口對我說的。」國潢坐到竹床另一頭，神秘地說：「雁門師前幾天到碧雲觀去尋訪老友九還道長，見觀裏有一位面孔醜得出奇的新道長。九還道長介紹說，這是他的道友，新近從廣西遊歷到此。雁門師見他臉雖難看，卻仙風道骨，因而喜歡。醜道長也欽佩雁門師的學問。兩人談得十分投機。當夜，雁門師留宿碧雲觀，又談到深夜。誰知興奮過頭，雁門師的老氣痛病發作了，急得九還道長手足無措。醜道長不慌不忙地拿出一根銀針來，在雁門師的耳根上紮了一針。眞是怪事！雁門師馬上就不痛了。他於是知醜道人醫術精湛，向道長求斷根之方。醜道長開了一個藥方。雁門師服了兩三劑後，覺得精神大振，手脚輕便，彷彿年輕了十歲。雁門師昨天到碧雲觀去道謝，醜道人要他切莫外傳，說從不替凡夫俗子看病。我昨天到蔣市街，恰遇雁門師出觀。他悄悄地告訴我這件事，要哥親到碧雲觀去拜訪這位道人。」

曾國藩素來尊敬這位給他啓蒙的忠厚塾師，既然是雁門師的親身經歷，還有什麼可懷疑的！

蔣市街離荷葉塘有十七里路。第二天，兄弟倆起個大早，乘兩頂竹涼轎，趁著上午涼快的時候，趕到了碧雲觀前。

建在蔣市街的碧雲觀已有兩百年的歷史了。觀不大，幾間草房，一圈竹籬，向來不大引人注目。三十年前，曾國藩還未考取秀才。一次，他挑了幾十個自家編織的菜籃子趕蔣市街的集，想換幾個紙筆錢。畢竟是讀書人，總覺得做買賣是丟臉的事，曾國藩急著要脫手，把價錢壓低，買主都圍在他的攤子前面。這下惹怒了另外兩個賣菜籃子的漢子。曾國藩和他們爭辯。那兩個漢子講不過他，便來蠻的。正在這時，從碧雲觀裏走出一位道長，喝退了那兩個大漢，把曾國藩帶進觀裏，請他喝茶，並勸他不要出來賣東西，這不是讀書人做的事。曾國藩十分感激。後來，曾國藩進了翰林院，想寄點銀子給道長修觀，一打聽，道長早已仙逝，便也作罷了。今日來到這裏，見碧雲觀與三十年前並無多大差別，而自己却由昔日的英俊少年變得衰老不堪了。曾國藩心裏感嘆不已。

兄弟二人推開虛掩的竹門。院子裏靜悄悄的，沿籬笆種了一溜葫蘆藤，青藤翠葉間，時而垂幾個油綠發亮的小葫蘆。這些小葫蘆，兩個圓球配合，上小下大，造型天然成趣，給碧雲觀增添盎然生氣。一個身材頎長的道人正在給葫蘆藤澆水。道人背對著竹門，前面是高聳壁立的黛色山崖。「好一幅令人羨慕的仙居圖！」曾國藩在心裏讚嘆。

「道長，打擾了！」曾國潢走前一步，客氣地叫了一聲。

那道人轉過身來，和藹地說：「是找九還道長嗎？他昨天出觀訪友去了。」

曾國藩看那道人，果然醜得出奇：臉上滿是發亮的疤痕，一邊眉毛稀稀落落，另一邊則乾脆脫落盡淨，代之以粗糙的皺皮，嘴唇略向右邊歪斜，下巴上橫著一道裂痕，將鬍鬚明顯地劃成兩半。面孔雖醜，兩隻眼睛却分外明亮寧靜，充滿著睿智的光芒。遂忙拱手施禮，笑道：「我們兄弟不會九還道長，特來拜謁您。」

「找我何事？」醜道人放下手中的水壺，微笑著問。那笑容裏滿是和善、親切。就憑這一臉純眞的笑容，曾國藩斷定這是一個內涵深厚、宅心光明的人。

「昨聞雁門先生盛讚道長醫道精深，有妙手回春絕技，家兄久患重病，特來拜謁，求道長法眼看一看。」曾國潢努力做出一副謙謙君子的樣子，幾句簡簡單單的話，害得他字斟句酌地說了很久。

「哈哈哈！」醜道人爽朗地笑起來，「雁門先生誇獎了，那天不過偶爾碰中而已，哪有什麼醫道精深、妙手回春？」

「仙師請了。」曾國藩略微彎了彎腰，說，「雁門師忠厚長者，從不誇許人，是他特爲叫弟子前來懇請仙師，以悲天憫人之心，佈春滿杏林之德，好叫弟子早脫病患苦海，略舒平生鄙懷。」

醜道人收起笑容，正色看了曾國藩良久，輕輕地搖搖頭，說：「我今日能與二位在此相會，也算是緣分吧，請隨貧道進屋。」

說罷，自己先邁步進門，曾國藩兄弟跟著他進了草房。道房裏無甚擺設，幾件簡樸陳舊的日用家具收拾得乾乾淨淨，一塵不染，正面粉壁上懸掛一幅古色古香的老君煉丹圖。曾國藩心裏嘆道：「眞的是仙家風味，淸淨無爲！紙醉金迷、勾心鬥角的世俗生活，在這裏簡直就是汚穢不堪的癰疽。」

醜道人讓座斟茶完畢，拿出一方薄薄的棉墊來，平放在茶几上，讓曾國藩伸出一隻手擱在其上，自己在對面坐下來，微閉雙眼，默默切脈，不再說話。許久，道人示意換一隻手，又切起來，仍不說話。曾國藩見道人切脈的手上也佈滿疤痕。他心中好生奇怪：望聞問切，乃醫家治病必不可少的程序，爲何這個道人不望不聞不問，只顧切脈，而又切得如此之久呢？他注意觀察道人的表情：從容安詳，凝神端坐，似已忘却人世，遨遊仙鄉。曾國藩越看越覺得道人的臉型神態，尤其是那雙眼睛，彷彿在哪裏見過。他想了很久想不出。的確，在他的所有故舊友人中，沒有這樣一張醜陋難看的臉。

時光已近正午，往日此刻，正是熱得難受的時候，但今日坐在道房裏的曾國藩，却感到身邊總有一股習習涼風在吹，遍體清爽。四周異常的安靜、清馨。窗外，可隱隱約約聽見花叢中蜜蜂振翅飛翔的嗡嗡聲；房裏，小火爐上的百年瓦罐冒出吱吱的聲響，傳出沁人心脾的茶香。歷盡戰火硝烟的前湘勇統帥，此刻如同置身於太虛仙境、蓬萊瀛洲，心裏愉愉地說：「早知碧雲觀這樣好，眞該來此養病才是！」

道人足足切了半個時辰的脈，這才睜開眼睛，望著曾國藩說：「貧道偶過此地，於珂鄉人地兩生，亦不知大爺的身分。不過，從大爺雙目來看，定非等閑之輩，但可惜兩眼失神，脈亦緩弱無力。實不相瞞，大爺的病其來已久，其狀不輕呀！」

曾國藩心裏一怔，國潢正要搶著說話，他用眼色制止了，說：「弟子眼光雖有點凶，但實在只是荷葉塘一個普通的耕讀之徒。請問仙師，弟子患的是什麼病？」

醜道人微微一笑，收起棉墊，慢慢地說：「大爺得的是怔忡之症，乃長期心中有大鬱結不解，積壓日久而成。」

曾國藩點頭稱是，甚爲佩服道人的一針見血。

「大爺。」醜道人輕輕地叫了一聲，使得曾國藩不自覺地挺起腰板，端坐聆聽，「《靈樞經》說，五臟已成，神氣捨心，魂魄畢具，乃成爲人，可見神乃人之君。《素問經》說，得神者昌，失神者亡。貧道看大爺堂堂一表，肩可擔萬民之重任，腹能藏安邦之良策，只可惜精神不振，目光黯淡，朦朧恍惚，語氣低微，此乃失神之狀也。貧道爲大爺惋惜。」

曾國藩見醜道人談吐高深，眼力非凡，想此人眞非比一般，與之交談，必定有所收益，遂問：「請問仙師，適才言在下之病，乃鬱結不解所致，人爲何會有鬱結？」

「大爺問得好。」道人莞爾一笑，「凡病之起，多由於鬱。鬱者，滯而不通之意也。人稟七情，皆足以致鬱，喜則氣緩，怒則氣上，憂則氣凝，悲則氣消，恐則氣下，驚則氣亂，思則氣結，行氣紊亂，皆致壅滯，足以鬱結。」

曾國藩又問：「在下近來常患不寐症，一旦睡著，又怪夢連篇，請問這是何故？」

「此亦七情所傷之故。」醜道人緩緩答道，「情志傷於心則血氣暗耗，神不守舍；傷於脾則食納減少，化源不足，營血虧虛，不能上奉滋養於心，心失所養，以致心神不安而成不寐。各種情志又多耗精血，血不養心，亦多致不寐之症。故《景岳全書》上說：「凡思慮勞倦，驚恐憂疑，及別無所累而常多不寐者，總屬眞陽精血之不足，陰陽不交，而神有不安其室耳。」大爺睡中夢多，總因思慮過多之故；思慮過多則心血虧耗，而神遊於外，是以多夢。」

這番話，說得曾國藩連連點頭，說：「仙師說得甚是深刻。在下之病，的確乃憂思而致氣不活，血不足，心神搖動，精力虧欠。不過，在下年不到五十，尚思做點事情，盼望早日根治此病，略展胸中一點薄願。請問仙師，有何藥物可治療？」

醜道人聽後，開口笑了起來：「大爺胸襟，貧道亦知。然大爺之病，乃情志不正常而引起，無情之草木，豈能治有情之疾病？」

「難道就不能治嗎？」曾國潢憂鬱地問。

「可治，可治。」道人嚴肅地說，「大爺之病，乃情志所致之心病也。岐黃醫世人之身病，黃老醫世人之心病，願大爺棄以往處世之道，改行黃老之術，則心可淸，氣可靜，神可靜，神可守舍，精自內斂，百病消除，萬愁盡釋。」

醜道人這幾句話，眞使曾國藩有振聾發聵之感，不覺悚然端坐，病已去了三分。他恭敬道：「願聽仙師言其詳。」

「《素問經》上說，上知天文，下知地理，中知人事，可以長久。這既是立身之本，亦是處世之方。」醜道人兩目灼灼有神地說：「天文地理，自有專著論及，貧道不能詳說。這人事之學說，依貧道看來，僅只黃老一家道中要害。故太史公論六家之要指，歷數其他五家之長短，獨對道家褒而不貶。此非太史公一人之私好，實為天下之公論也。《道德經》雖只五千言，却揭出人事中極奧極秘之要點，一句『江海之所以能為百谷王者，以其善下之』，便揭示世上競爭者取勝的訣竅。可惜世人讀《道德經》者多，懂《道德經》者少，以《道德經》處世立身者更少。大爺想必從小便讀過此書，諒那時年輕不更世事，不甚了了。請大爺回去後，結合這些年來的人事糾紛，再認眞細讀十遍，自然世事豁達，病亦隨之消除。」

道人不徐不急、從容平淡的一番話，對於滿腹委屈、百思不解的曾國藩來說，猶如一滴清油流進了銹壞多年的鎖孔，頓時靈泛起來。他起身打躬道：「謝仙師指點。」

「大爺請坐，如此客氣，貧道怎受得了。」道人和藹地招呼曾國藩坐下，解開床頭上的小布包，取出一部藍布封面的書來，雙手遞過，「大爺，貧道平生一無所有，只有這本宋刻《道德經》乃先師所珍傳。當年先師曾有言，日後遇到有根底之人，可以將此書贈送。今日得遇大爺，亦是貧道三生有幸，願大爺精讀善用，一生成就榮耀、平安泰裕，都在此書之中。」

曾國藩起身接住，醜道人的眼角邊露出一絲不易覺察的譎笑。

「道長，你還給家兄開個藥方吧！」曾國潢見道人說的都是不著邊際的空話，送的是一本《道德經》，而不是醫書，心中著急：若這樣回去，豈不白來了一趟！

「三爺不必著急。」道人瞟了一眼曾國潢，「我想令兄心中已明白，這部《道德經》便是最好的藥方了。雖然如此，貧道還得爲大爺開一處方。」

道人磨墨運筆，很快寫出一張處方來，交與曾國藩。曾國藩接過處方，問：「弟子還想冒昧請教仙師，眼下天氣炎熱，萬物焦燥，弟子更是五內沸騰，如坐蒸籠，爲何今日在仙師處，總覺有涼風吹拂而不熱呢？」

「大爺所問，一字可回答。」道人套上筆筒，說，「乃靜耳。老子說：『清淨物之正。』南華眞人發揮得更詳盡：『水靜則明燭鬚眉，平中准，大匠取法焉。水靜猶明，而況精神？聖人之心靜乎，天地之鑒也，萬物之鏡也。夫虛靜恬淡、寂寞無爲者，天地之平而道德之至也。』世間凡夫俗子，爲名，爲利，爲妻室，爲子孫，心如何靜得下來？外感熱浪，內遭心煩，故燥熱難耐。大爺或許憂國憂民，畏讒懼譏，或許心有不解之結，肩有未卸之任，也不能靜下來，故有如坐蒸籠之感。切脈時，貧道以己心之靜感染了大爺，故大爺覺得有涼風吹拂而不熱。」

「多謝仙師指點，弟子受益非淺。」曾國藩說。心裏嘆道：眞是慚愧！過去跟鏡海師研習靜字之妙，自認已得其奧妙，其實連門檻都沒入。到底方外人，排除了俗念，功夫才能到家。

道人微笑著說：「還是我方才說的兩句話：岐黃可醫身病，黃老可醫心病。有的身病起源於心病，故還得治本才能奏效。大爺回去後，多讀幾遍《道德經》和《南華眞經》，深思反省，再益以所開的處方，自然身病心病都可去掉。」

曾國藩又鞠一躬，發自內心地說：「多謝了！」

醜道人說：「時候不早了，大爺兄弟也請回家，貧道今日和大爺兄弟一起離開碧雲觀，回廬山黃葉觀去，從此採藥煉丹，不復與世人交往矣。」

說罷，和曾國藩兄弟走出碧雲觀，稽首告別，飄然北去。曾國藩望著遠去的道人，又一次覺得那洒脫的步伐也似曾見過。

二　曾國藩細細地品味《道德經》《南華經》，終於大徹大悟

曾國藩回到荷葉塘，關起門來，一遍又一遍，反反復復地讀著醜道人所送的《道德經》。果然如道人所言，此時重讀它，似覺字字在心，句句入理，與過去所讀時竟大不相同。

曾國藩早在雁門師手裏就讀過《道德經》。這部僅只五千言的道家經典，他從小便能夠倒背如流。進翰林院後，在鏡海師的指點下，他再次下功夫鑽研過它。這是一部處處充滿著哲理智慧的著作，它曾給予曾國藩以極大的教益。類似於「合抱之木生於毫末，九成之台起於累土，千里之行始於足下」等格言，他篤信之，謹奉之，而對於該書退讓、柔弱、不敢爲天下先的主旨，仕途順遂的紅翰林則不能接受。那時的曾國藩一心一意信仰孔孟學說，要以儒家思想來入世拯世。對自身的修養，他遵奉的是「天行健，君子以自强不息」，對社會，他遵奉的是「以天下爲己任」。也正是靠的這種持身謹嚴，奮發向上，關心國事，留意民情，使得他贏得了君王和同僚的信賴，在官場上春風得意，扶搖直上。咸豐二年間，正處於順利向上攀援的禮部侍郎，堅決地相信「治亂世須用重典」的古訓以及從嚴治軍的必要性，遂由孔孟儒家弟子一變而轉爲申韓法家之徒。他認爲自己奉皇上之命辦團練，名正言順，只要己身端正，就可以正壓邪，什麼事都能辦得好。誰知大謬不然！這位金馬門裏的才子、六部堂官中的幹吏，在嚴酷的現實中處處碰壁，事事不順。

這一年多來，他曾無數次痛苦地回想過出山五年間的往事。他始終不能明白：爲什麼自己一身正氣，兩袖清風，却不能見容於湘贛官場？爲什麼對皇上忠心耿耿，却招來元老重臣的忌恨，甚至連皇上本人也不能完全放心？為什麼處處遵循國法、事事秉公辦理，實際上却常常行不通？他心裏充滿著委屈，心情鬱結不解，日積月累，終於釀成大病。

這一年裏，他又從頭至尾讀了《左傳》《史記》《漢書》《資治通鑑》，希望從這些史學名著中窺測前人處世行事的訣竅，從中獲取借鑒。但這些前史並沒有給予他解開鬱結的鑰匙，反而使他更痛苦不堪：前人循法度而動成就輝煌，偏偏我曾國藩就不能成功！

他也想到了老莊，甚至還想到了禪學空門。但是他，一個以捍衞孔孟名教為職志的朝廷重臣，一個以平叛中興為目標的三軍統帥，能從老莊消極遁世的學說中求得解脫嗎？不，這對他來說，是絕對不可能的。

這些日子，在實實在在的民事軍旅中親身體驗了許多次成功與失敗的幫辦團練大臣，通過細細地品味、慢慢地咀嚼，終於探得了這部道家經典的奧秘。這部貌似出世的書，其實全是談入世的道理。只不過孔孟是直接的，老子則主張以迂迴的方式去達到目的；申韓崇尚以强制强，老子則認為「柔勝剛，弱勝强」，「天下之至柔，馳騁天下之至堅」。「江河所以為百谷王者，以其善下之。」這句話說得多麼深刻！老子眞是個把天下競爭之術揣摩得最為深透的大智者。

曾國藩想起在長沙與綠營的齟齬鬥法，與湖南官場的鑿枘不合，想起在南昌與陳啓邁、惲光宸的爭强鬥勝，這一切都是採取儒家直接、法家强權的方式。結果呢？表面上勝利了，實則埋下了更大的隱患。又如參清德、參陳啓邁，越俎代庖、包攬干預種種情事，辦理之時，固然痛快乾脆，却沒有想到鋒芒畢露、剛烈太甚，傷害了清德、陳啓邁的上上下下、左左右右，無形中給自己設置了許多障礙。這些隱患與障礙，如果不是自己親身體驗過，在書齋裏，在六部簽押房裏是無論如何也設想不到的，它們對事業的損害，大大地超過了一時的風光和快意！既然直接的、以强對强的手法有時不能行得通，而迂迴的、間接的、柔弱的方式也可以達到目的，戰勝强者，且不至於留下隱患，爲什麼不採用呢？少年時代記住的諸如「大方無隅」「大音稀聲」「大象無形」「大巧若拙」的話，過去一直似懂非懂，現在一下子豁然開朗了。這些年來與官場內部以及與綠營的爭鬥，其實都是一種有隅之方，有聲之音，有形之象，似巧實拙，眞正的大方、大象、大巧不是這樣的，它要做到全無形迹之嫌，全無斧鑿之工。

「人之生也柔弱，其死也堅强，草木之生也柔脆，其死也枯槁。」柔弱，柔弱，天下萬事萬物，歸根結底，莫不是以至柔克至剛。能克剛之柔，難道不是更剛嗎？祖父「男兒以懦弱無剛爲恥」的家訓，自己竟片面理解了。曾國藩想到這裏，興奮地在《道德經》扉頁上寫下八個字：「大柔非柔，至剛無剛。」他覺得胸中的鬱結解開了許多。

讀罷《道德經》，他又拿起《莊子》來溫習。這部又稱爲《南華經》的《莊子》，是他最愛讀的書；從小到大，也不記得讀過多少遍了。那汪洋恣肆的文筆，奇譎瑰麗的意境，曾無數次地令他折服，令他神往。過去，他是把它作爲文章的範本來讀，從中學習作文的技巧，思想上，他不贊同莊子出世的觀點，一心一意地遵循孔孟之道，要入世拯世，建功立業，澤惠斯民，彪炳後昆。說也奇怪，經歷過暴風驟雨冲刷的現在，曾國藩再來讀《莊子》，對這部前無古人、後無來者的巨著，有了很多共鳴之處。甚至，他還悟出了莊子和孔子並不是截然相對立的，入世出世，可以而且應該相輔相成，互爲補充。如此，才能既做出壯烈奮進的事業，又可保持寧靜謙退的心靈。曾國藩爲自己的這個收穫而高興，並提起筆，鄭重其事地記錄下來：

靜中細思，古今億百年無有窮期，人生其間數十寒暑，僅須臾耳，當思一搏。大地數萬里，不可紀極，人於其中寢處遊息，晝僅一室，夜僅一榻耳，當思珍惜。古人書籍，近人著述，浩如烟海，人生目光之所能及者，不過九牛一毛耳，當思多覽。事變萬端，美名百途，人生才力之所能及者，不過太倉之粒耳，當思奮爭。然知天之長，而吾所歷者短，則憂患橫逆之來，當少忍以待其定；知地之大，而吾所居者小，則遇榮利爭奪之境，當退讓以守其雌。

老莊深邃的哲理，如一道梯子，使曾國藩從百思不解的委屈苦惱深淵中，踏著它走了出來，身心日漸好轉了。

這天夜裏，曾國藩收到了胡林翼由武昌寄來的信。信上說浙江危急，朝廷有調湘勇入浙的動議。他已向皇上奏明，請命曾國藩再度奪情出山，統率湘勇援浙。爲加强此奏的分量，他說服了官文會銜拜發。

曾國藩從心裏感激胡林翼對自己的關心和照顧，在這樣的時候能仗義上疏，請詔復出，簡直有再生之德。尤爲難得的是，他能說動名爲支持湘勇、實則嫉妒漢人的滿洲權貴官文一起會銜，眞是用心良苦，謀畫周到。湖北能有今天的局面，湘勇能在江西走出低谷，全憑著武昌城內官胡水乳交融的合作。此刻，曾國藩的腦子裏，浮起了胡林翼屈身事官文的往事。

官文是滿洲正白旗人，出身軍人世家，年紀輕輕便作了殿前藍翎侍衞，屢遷至頭等侍衞，出爲廣州漢軍副都統，走的是滿洲貴族子弟的特權道路，一帆風順，青雲直上。楊霈被撤職後，他由荊州將軍任上調湖廣總督。此人於遊冶享受樣樣精通，就是於打仗治民不通，佔著湖廣總督的高位，什麼事都不做，却又出於滿洲權貴防範漢人的本性，對胡林翼事事横加干涉，弄得胡處處爲難。一氣之下，胡要幕僚起草奏摺，向皇上告狀。幕僚勸告：江南漢人手握重兵，朝廷如何放心得下？官文名爲總督，實是朝廷派到湖廣監視漢人的耳目，告官文的狀，只會徒增皇上的反感。最好的辦法是取得官文的支持，督撫同心，共成大業。胡林翼經此指點，立刻醒悟。不久，官文三十歲的六姨太生日，總督衙門向武昌官場大發請柬，要為六姨太熱鬧一番。誰知湖北司道府縣大部分官員平日對官文都無好感，恥於為一個年輕的姨太太祝壽。生日這天，日上三竿了，總督衙門還冷冷清清。官文心裏著急，六姨太氣得嚶嚶哭泣。將近正午了，武昌城裏的重要官員，仍無一人登門。官文無法，只得降尊紆貴，派人四處再請。正在這時，一輛綠呢大轎抬來，前面儀仗森嚴，後面跟著幾輛花呢綉轎。一個家丁飛奔過來，遞上一個名刺。管家接過一看，上面赫然寫著湖北巡撫胡林翼的大名。管家喜出望外，連忙進府報告官文。官文歡喜異常，親到大門外迎接。胡林翼不但自己來了，還帶來了老母和正妻靜娟夫人，以太太之禮，給六姨太送了一份厚禮。六姨太破涕為笑。在二門外恭迎胡家太夫人、夫人。聽說巡撫以如此隆重的禮儀慶賀官文六姨太的生日，不到一個時辰，湖北藩司、臬司、糧道、鹽道、漢陽知府、武昌知府全部來齊了。六姨太得了一個大面子。宴席上，胡太夫人、靜娟夫人盡選些好聽的話恭維六姨太，把一個六姨太喜得合不上嘴。臨別時，胡太夫人又鄭重邀請六姨太到巡撫衙門去做客，六姨太樂滋滋地接受了。

第二天一早，一輛花呢大轎將六姨太抬進巡撫衙門，胡太夫人、靜娟夫人設盛宴款待，陪著玩牌聽曲，扯家常。六姨太自幼喪母，見胡太夫人這樣喜歡她，便認胡太夫人為母。胡太夫人高高興興地收下這個義女，又叫她拜見了兄長胡林翼。胡太夫人送給六姨太一副金鐲金耳環金戒指，算是給義女的見面禮。六姨太回府後，在枕邊對著官文說起胡家母子的千好萬好。並說，從今以後兩家認了親，就是一家了，就不要再為難胡林翼了。官文對這個嬌媚聰敏的六姨太向來百依百順，果然從此再也不給胡林翼找岔子了。軍事民事，全交與胡林翼一手辦理，他只在上面畫諾而已；而胡林翼也表面上對他恭敬順從。武昌城裏督撫關係之親密，為全國之首。

先前，曾國藩聽到官胡這段故事後置之一笑。他笑胡林翼太軟弱了，竟然用討好一個姨太太的手腕來換取官文的合作，豈不太失堂堂大丈夫的氣節！現在，他明白了，這正是胡林翼的高明之處，也是胡林翼勝過他的地方。「柔弱勝剛强」，胡林翼早已深懂此中之趣，並運用得相當熟練了。

「潤芝啊，你竟比我早得道！」曾國藩高興得拍著几案，不自覺地喊出聲來。這一拍不打緊，把一支正燃著的蠟燭給震倒了，恰跌在攤開的《道德經》上。曾國藩心疼地撫摸著，卻意外地在一個燒殘的夾層之中發現一塊薄薄的白絹。他小心地將白絹抽出，見上面寫著幾行字：

滌生侍郎大人麾下：

山人有幸，又與大人相晤，只是面容爲山火所毀，不知驚嚇故人否？嘗思以陌路相接談，或更少成見梗阻，故未能相認，尚乞諒宥是幸。山人爲此次晤談，計謀日久，思慮至深，所談者，句句爲醫病，亦句句爲立身。滿人主中原兩百年之久，何嘗輕授兵權於漢人？大人雖雄才大略，連克名城，然亦氣運轉移，得乘時之利也。湘勇系大人所手創，聽大人所調遣，替大人立功，亦爲大人招妒也，此故岷樵、潤芝位列封疆，而大人仍客懸虛位也。當此之時，戰戰競競猶恐不及，豈能四處開罪人耶？《道德經》一部，可以五字概括：柔弱勝剛强。前此不十分順心，蓋全用申韓之故也。山人試問大人：古往今來，純用申韓，有幾人功成身全？大人不久將再次奉命出山。山人夜觀天象，見荊楚將星倍添光彩，知大人時運已至。望從此明用程朱之名分，暗效申韓之法勢，雜用黃老之柔弱，如此，則六年前山人爲大人許下之願，將不日實現。盼好自爲之。

江右陳敷頓首謹拜

「怪不得我覺得似曾相識，原來是廣敷先生，他竟然如此用心良苦地來啓迪我，眞難爲了他！」曾國藩喃喃說著，笑出聲來。這段日子裏，他彷彿眞如陶淵明所說的「悟以往之不諫，知來者之可追」，對過去的一切，已大悔大悟，大徹大明了，精神狀態進入了一個全新的境地。

不出陳敷所料，幾天後，援浙詔命由湖南巡撫衙門遞到荷葉塘。經過這番痛苦鍛煉的曾國藩相信，他必能以更爲圓熟的技巧、老到的工夫，在東南這塊充滿血與火的政治舞台上，演出一幕迴異往昔的精彩之劇來。

三　敬勝怠，義勝欲；知其雄，守其雌

當九江被攻下的時候，太平軍在江西已處於不利局面，羅大綱、周國虞奉天王之命，率領在贛的三萬餘名太平軍官兵，從饒州、廣信一帶，與李秀成在浙江的部隊會合，北衛天京，南僻福建。

李秀成，廣西滕縣人，是內訌以後崛起的重要軍事將領。此人智勇雙全，對天國忠心耿耿，受到天王的器重。天京內訌後，在廣大將士的衷心擁戴下，石達開進京主持朝政。但這時的洪秀全被內訌嚇怕了，再也不敢完全相信異姓人，他名義上尊石達開爲翼王，實際上却把權力交給了兩位昏庸貪劣的兄長洪仁發、洪仁達，封他們爲安王（後改封爲信王）、福王（後改封爲勇王），監視石達開。石達開氣憤至極，率領十多萬精兵離京出走。天國又一次面臨危局。洪秀全當機立斷，重新組建最高軍事領導集團，任命贊王蒙得恩爲正掌率、中軍主將，成天豫陳玉成

爲又正掌率、前軍主將，合天侯李秀成爲副掌率、後軍主將，李秀成堂弟李世賢爲左軍主將，韋昌輝的弟弟韋俊爲右軍主將。

羅大綱、周國虞與李秀成會合後，聲勢浩大，浙江告急。朝廷欲急調湘勇赴浙江，但浙江提督周天受資望淺，不堪統率，只得任命欽差大臣、江南大營提督和春指揮。恰逢和春患病，不能受命。胡林翼趁此機會，聯合官文火急上奏，請起復曾國藩，又鼓動駱秉章支持。湘勇出湖南後，駱秉章於錢糧支持甚厚，曾駱關係大爲改善。駱亦不願湘勇落於滿人手裏，便欣然上奏，並答應湖南繼續全力支持餉糈。朝廷環顧四方，的確再無合適的人可以代替曾國藩，於是再次賞他一項兵部侍郎空銜，命火速奔赴前線；同時又諭令官、胡、駱，既作保人，則必須確保湘勇的糧餉。

咸豐八年六月初三日曾國藩接到上諭，初七日便整裝離開了荷葉塘。他不再向朝廷討價還價，要督撫實職了，反而生怕收回成命，離家前便打發荊七賫著「奉命援浙，即日擇將出兵」的奏疏，先行趕到長沙，借湖南巡撫衙門的官封拜發。曾國藩之所以立即受命上路，除急於重統湘勇以酬夙志外，還有一件事，使他確信此次援浙，是走向立功坦途的一個吉兆。

六年前，還是在爲江氏守喪的時候，曾麟書對曾國藩兄弟說，四十年前，他去南岳燒香拜菩薩，在上封寺求得一簽。簽云：雙珠齊入手，光彩耀杭州。曾麟書欣喜異常，回來對江氏說：「我今後必有兩個兒子在浙江做官。」

「眞是靈驗！」曾國藩心想，「可惜父親死了，不然，看著兒子帶勇入浙，該有多麼高興！」

去年春天，曾國藩不待皇上批准，匆匆回籍奔喪的事，引起左宗棠大爲不滿。他肆口謾罵曾國藩自私無能，臨陣脫逃。左宗棠是個從不掩飾情感的人，情緒一上來，就不顧一切，罵曾國藩罵得起勁的時候，他甚至把這個曾令他佩服的老友說得一無是處，連曾國藩多年自我標榜的忠敬誠信，也被他一慨斥之爲虛僞。左宗棠如此帶頭攻擊，一時間長沙官場嘩然和之，給蟄居荷葉塘守喪的曾國藩極大的刺激。他本已身心憔悴，經此打擊，更添一重痛苦。曾國藩恨死了不念舊情的左宗棠，也恨死了不明事理的長沙官場，發誓永不與左宗棠說話，也永不與長沙官場往來。

在前往長沙的途中，就如何會見左宗棠一事，曾國藩思考了很久。先前的發誓自然已經過去，既然復出帶兵，怎能不與左宗棠說話？已經大徹大悟的曾國藩，對左宗棠一年前罵他的所有的話都可以不再計較，唯獨對「虛僞」二字難以釋懷。他一生最恨別人虛僞，想不到這個最招他厭恨的字眼，竟然由相交二十多年的老友加於自己的頭上，如何不令他氣憤傷心！想到這裏，曾國藩決定把與左宗棠的會見降到最低的規格，學孔子見陽貨的辦法，俟其外出時，到他的家裏去一趟，然後留一張名刺，匆匆離開。這是一個最妙的辦法，說見了又未見，說未見又見了。轉念一想，這個辦法不好。心高氣傲、明察秋毫的左宗棠一眼就會識破這個陳舊的小花招，造成的後果必然是二人的關係進一步惡化。

無論對湘勇，還是對他個人，左宗棠都是有大恩在前的；何況人才難得，對江西戰事的幾次建議，當時不在意，現在想起來，吃虧就吃在沒有聽這個人的話。左宗棠信中反復談用兵之道貴在審勢，而自己恰恰就在審勢這一點上欠缺功夫。這是一個古今少見的將材！今後還得要重用他，讓他帶一支人馬獨當一面，萬不可冷淡！

瞻前顧後地想了很久，曾國藩決定把這次與左宗棠的會見，當作自己轉向黃老之術的第一步，實地檢驗一下究竟效果如何。

昨天夜晚，駱秉章打發人告訴左宗棠，說是曾國藩在拜會他的時候說過，今上午親來左府看望老友。駱秉章深知左宗棠的倔脾氣，特爲關照，希望他不再計較去年的事，把這次曾的主動來訪，當作捐棄前嫌、和好如初的好機會。

左宗棠對曾國藩的恨意仍未消，他不大情願見曾國藩。今年三月，他把妻兒從東山接出，和陶桄夫婦一起，住在戥子橋外的陶公館裏。一大早，左宗棠打發陶恭在門外十字路口探聽曾國藩來訪的情況，隨時向他報告。他自己則帶著前幾天從湘陰來的老表吳偉才，一同巡查後花園的施工。

陶公館後面有一大片荒蕪的土地，過去陶桄沒有理會它，左宗棠看著荒在那裏可惜，便自己設計了一個花園，命人按圖施工。現在，這個花園就要全面竣工了。

花園的正中是一個大水池。盈盈清水中養著幾百尾魚，青翠的荷葉罩在水面上，益發增加幾分幽靜。正當盛夏，粉紅色的荷花滿池綻開，如同西子湖從杭州移到了長沙。左宗棠看著歡喜，給它取個名字，叫「武侯池」。鑿池開挖出來的泥土就堆在旁邊，形成一座小小的山崗，上面栽些青篁幼松。再熱的夏日南風，經過松竹的過濾，也增添三分清涼。左宗棠稱它爲「臥龍崗」。臥龍崗下有一棟竹籬編就、茅草爲頂的房子。房子裏正中矮几上擺一張古琴，壁上掛著主人最喜愛的「隆中對」古畫。這個茅屋被命名爲「隱賢廬」。

左宗棠的官職雖只是一個在籍四品卿銜兵部郎中，實則此時已名動九重。早在咸豐五年，御史宗稷辰向朝廷推薦人才，他的名字便赫然列在首位。自那以後，每逢兩湖有人進京，咸豐帝則詢問左宗棠。前不久又在養心殿西暖閣召見郭嵩燾，詳細問明左宗棠的情況，鼓勵他努力辦事。當得知左常以舉人功名自憾，極欲會試時，咸豐帝竟然寬慰道：「何必以進士爲榮，文章報國與建功立業，所得孰多？他有這等才能，務必充分發揮才是。」這些話傳到左宗棠耳中，自然更激發他要做一番轟轟烈烈大事的雄心壯志，也促使他更加自命不凡。他今年雖已四十七歲，精力却仍旺盛過人。幾個月前，張氏妾又給他生了一個兒子。近半百的人再添男丁，他歡喜萬分。

兩老表並肩來到武侯池邊的一座石牛雕像旁。這是一頭壯實的大水牛，頭、腹、尾、四蹄都雕得極好，尤其那對彎曲的角，在頭的兩側畫出兩個圓圈，既逼眞又很具美感。整個石牛的尺寸，與一頭眞牛的大小完全一樣，再加上用黑色岩石雕出，遠遠地看起來，還眞是一頭剛從池中沐浴上岸的耕田牯牛哩！

「表哥，你的後花園有武侯池、臥龍崗、隱賢廬，這我曉得，你是當今的諸葛亮，缺不了這些名目。但爲何要雕一個石頭牯牛放這裏？從小起，牛還見得少嗎？一個石頭牛有什麼好看的！」老表吳偉才指著石牛問。

左宗棠的這個表親是他的三姑母的次子。說來也眞是湊巧，兩個人竟是同年同月同日同時所生。吳偉才家住湘江東邊，左宗棠家住湘江西邊，生日那天，兩家報喜的人居然在江邊相遇。過幾年長大了，都爭當表哥，誰也不願做表弟。左宗棠對吳偉才說：「我們也不要爭了，誰的書讀得好，誰就當哥哥。」結果每次考試，左宗棠總是第一，吳偉才終於服了輸，稱左爲兄。吳偉才讀書不成，加之後來家道中落，於是改行做了屠戶。

表兄弟倆有次一同請人算八字。左宗棠報了壬申年辛亥月丙午日庚寅時之後，瞎子用手招了半天，突然大聲說：「恭喜恭喜，這是一個大富大貴的八字。」左宗棠大喜。

吳偉才也高興，忙對瞎子說：「我的八字也是壬申辛亥丙午庚寅，你也給我算算。」

瞎子也招了半天，再摸摸他的頭，又摸摸手，吸口氣說：「八字雖好，可惜生的地方沒選好。請問你是生在河東，還是河西？」

「河東。」吳偉才答。

「這就對了。」瞎子翻了翻兩隻白眼睛，說：「生在河西者，殺人萬萬，出將入相；生於河東者，殺牲萬萬，屠豬宰羊。」

三十年後，果然左宗棠拜相封侯，吳偉才也當了一世的屠戶。左宗棠特賞那瞎子五百兩銀子。不料瞎子命不好，生病無錢治，早死了，也沒有妻兒。左宗棠便給他砌了一座好墳墓，墓前立了一塊高高的石碑。吳偉才氣不過，夜裏偷偷把碑給砸了。

這是個傳聞故事，想必不是眞的。世上眞有這等料事如神的瞎子，他早就爲自己尋找一個發財致富的機會了，何致於貧病交加，無家無室！

當時左宗棠聽了表弟的提問後，正色道：「這你就不懂了，我原來是牽牛星下凡。」

「牽牛星下凡？你是如何曉得的？」屠戶很驚訝。

「我三十歲生日那年，太白金星親自托夢給我，說我前生乃是牽牛星，今生注定要爲世人吃苦負重。」

吳偉才看他神色莊重，並無半點說笑話的味道，感嘆起來：「怪不得我和你八字相同，命却相差這樣遠，原來你是天上的星宿下凡，我哪能跟你比！」

左宗棠撫摸著石牛的彎角，沒有說話，那樣子顯然是贊同老表的這番感慨。

「老爺，曾侍郎已到了營盤街。」陶恭急急忙忙地跑進後花園稟告。

「是坐轎，還是騎馬？」左宗棠停止撫摸石牛，雙目閃亮地望著陶府家人。

「曾侍郎是坐轎來的，坐的綠呢大轎。」

「你去傳我的話，關閉大門小門，今日任何客都不見，叫他曾侍郎打轎回府！」左宗棠斬釘截鐵地下命令。

「是！」陶恭雖然遵令，兩脚却並未移動。他深爲不解：曾侍郎專程來訪，爲何要關門不見？

「站著幹什麼？快去！」左宗棠揮手，「關門是門房的事，你依舊到外面去觀察，有什麼動靜，再來稟報。」

陶恭出去了。吳偉才說：「表哥你這樣做，曾侍郎會要見怪的。」

「讓他見怪去好了。」左宗棠又細細地審看起石牛來，對老表說，「你看它的下巴是不是還要肥一點才好？」左宗棠邊說邊摸著自己胖胖的下巴，彷彿那頭牛就是以他爲原型雕的一樣。

「老爺，曾侍郎在司馬里口下了轎，徒步向這裏走來。」一會兒，陶恭又進來稟報。

「什麼！他下了轎？」左宗棠大出意外。略停片刻，又問，「他穿的什麼衣？官服，還是便衣？隨從有多少人？」

「他沒有穿官服，穿的是一件灰灰的長褂子，也沒有隨從，一個人。」陶恭在陶府當了二十年的差，辦事能幹，觀察事物也仔細。

「沒有看錯。」左宗棠拉長聲調問。

「沒有看錯。」陶恭回答得乾脆。

左宗棠沉吟一會，斷然說：「打開右邊的側門迎接！」

「季高，四年多不見，你比先前還顯得年輕了！」曾國藩剛從右側門檻進來，一眼看見左宗棠，便搶先打招呼。那笑容的眞切，聲調的親熱，彷彿在他們的友誼中從來就沒有過裂痕似的，一如以往的親密無間。

「滌生，是你來了！」對於曾國藩的如此態度，左宗棠頗感意外，連聲說，「書房坐，書房坐。」一邊高喊獻茶，一邊忙將自己手中的舊蒲扇遞過去。

「這麼熱的天氣，你還放駕，難爲了！」左宗棠望著曾國藩說。心裏想：四年多不見，他的確是衰老多了。這樣想過後，覺得自己去年對他的肆意攻訐有點過分了。

「昨天下午見過駱中丞後，我就要來看你。駱中丞說你這兩天偶有不適，勸我晚上莫打擾了。」曾國藩輕輕搖著大蒲扇，關切地問，「今天好些了嗎？」

「好多了，明天就去衙門辦事。」

這時，陶恭端來一大盆切好的西瓜。左宗棠招呼曾國藩吃西瓜。曾國藩沒有客套，拿起一塊瓜，大口大口地吃起來。看著曾國藩全無芥蒂的神態，左宗棠心裏隱隱升起一股歉疚，說：「伯父安葬妥貼了嗎？這一年多來，瑣瑣碎碎的事情很多，也沒有給他老人家去磕個頭，眞是很對不起。」

「哪裏，哪裏！」曾國藩拿起毛巾擦擦嘴巴，說，「我這次能夠得以為父親辦理身後之事，盡一個做兒子的孝順，全是靠你的賜予呀！」

「這話從何說起？」左宗棠一時不解。

「季高，那一年在水陸洲，不是你一番開導，我早就作一個不忠不孝的罪人死了，哪還有為父親送葬的時候！」

曾國藩的態度極為誠懇眞摯。左宗棠見他此時此地，絕口不提自己去年對他的攻訐，反而以感激的心情回憶那夜船艙裏的責罵，不禁大為感動起來。他是個直性情的人，覺得應該表示一點自己的歉意。「滌生，你去年從江西回來，我當時認為有些不妥，說了幾句你不愛聽的話，你不會介意吧！」

「季高，看你說到哪裏去了！我們二十多年的交往，情同骨肉，那幾句話還能記在心裏？況且，你說的都有道理。」曾國藩眞誠地說，「就如當年一樣，你話雖說得重了點，但純是一片好心。這幾年，你在很艱難的條件下，為湘勇籌撥了二百九十萬兩餉銀。你為江西戰場作出的貢獻比我大得多。你的幾點軍事建議，我後悔沒有早採納，不然九江、湖口早就拿下了。」

「正是！」左宗棠素來不會謙虛客套，直來直去，心裏怎麼想的，嘴裏便怎麼說，「實話對你講，潤芝、雪琴他們之所以連克長江沿線城鎮，就是用我的主動出擊的主意。滌生，穩紮穩打，是你的長處，不能出奇制勝則是你的短處。要想百戰百勝，必須兩者相結合。這次復出帶兵，我希望你能更多地注意審時度勢，出奇制勝。」

「你說得很對，我的失敗，就在於太平實，缺乏奇策。在這方面，你今後還要多給我指點指點。」這句話，一半是爲了討得左宗棠的歡心，一半也是曾國藩的心裏話。這段時期來，他檢討自己的過失，十分清楚地看到了這個問題。

「的確，你的打仗和你的爲人一樣。」左宗棠笑著說，「爲人要穩重實在，不過兵者陰事，越詭計多端越好。」

「不錯，不錯！」曾國藩也爽朗地笑起來。

過一會，他以極其懇切的語調說：「說句實在話，我並不夠格統領湘勇，你才具備著眞正的統帥之才。」

這句話，說到左宗棠的心坎裏去了。不過，再直爽的他，也不能說出「彼可取而代之」的話，遂微微一笑道：「湘勇的統帥是你，這是皇上欽命的，誰還能不承認？看今後戰事的發展如何，如果有必要的話，我也可以自領一軍，作你的輔翼。」

「若這樣，那就太好了！」曾國藩興奮地站起來，走到左宗棠身邊，鄭重地說，「季高，我想求你一事。」

「何事？」左宗棠見他一副嚴肅的模樣，心裏想：八成是求我給他籌一筆大餉。

「我在荷葉塘守制時，取《道德經》之義，湊了一副聯語，想用篆體寫出來，掛在居室中，可惜我的篆字太差。你是三湘篆字高手，求你給我書寫如何？」

說左宗棠是篆字高手，這分明是出格的恭維。湖南的書法家多得很，篆字寫得好的也大有人在，左宗棠自知他的字，包括篆體在內，充其量在長沙城裏也只算得上二流。不過，左宗棠一向喜出格恭頌。他心裏高興，忙說：「你想的是哪幾句話，講吧！」說著便起身到大櫃邊去拿紙。

「這副聯語的上聯是：敬勝怠，義勝欲。」

「行！」沒等曾國藩說完，左宗棠便插話，手裏拿著一疊宣紙。

「下聯是：知其雄，守其雌。」

左宗棠把紙攤開在桌面上，正要取筆，聽到下聯，心裏一怔：這是什麼意思？很快，他明白了：曾滌生這個滑頭，原來是借這副聯話，在我的面前進一步表明他的心迹。他將我比作雄，自己甘願爲雌。唉，也眞難爲了他！左宗棠想到此，停住了筆，笑著說：「滌生兄，聽人說，你這一年多守喪期間，天天不離《道德經》《南華經》，儼然成了老莊的入室弟子。別人聽了爲你高興，我聽後爲你惋惜。」

曾國藩不露聲色地坐到椅子上，等待著這位怪傑發出與衆不同的議論來。

「老莊之說，養心則可，辦事却不行。尤其是身處今世，我輩人更不可爲其所迷。」左宗棠放下筆，嚴肅地說，「當今天下紛亂，强寇蜂起，君父處寢食不安之際，百姓在水深火熱之中，正靠的英雄豪傑以剛强果敢之手段，殺盡匪賊，速平禍亂。這裏要的是拯難救苦的良知，倡導的是敢爲天下先的血性，竊以爲柔退只能是授人以首的自滅之計，逍遙則更是極不負責任的逃避態度。老莊之道，今日誠不可取！」

出自於左宗棠口中的這一番激昂的陳辭，曾國藩一點兒也不覺意外，這正是他自己多年來所懷抱的態度。他只能讚許，不能有任何非議。不過，今天的曾國藩，其心中的境界已升華到新的境地，不是左宗棠所能領略到的。他不想與左宗棠爭辯。他知道辯亦無益。眼前這位氣沖鬥牛的左師爺，世上有幾人辯得過？更何況他挾的是儒家以天下蒼生爲念的凜然正氣，正可謂橫掃千軍如捲席一般，誰敵得了？」曾國藩微微笑著，輕輕地點頭，嘴裏說：「有道理，有道理！」

「滌生，你的心意我已明白，這副聯語不寫了罷，我另送你一副，集的是武鄉侯的話，可能對你的用兵打仗更有實益。」

說罷，也不管曾國藩同意不同意，立時揮筆寫就。上聯寫的是：「集衆思，廣忠益。」下聯是：「寬小過，總大綱。」曾國藩看了拍手稱快，高興地說：「很好，很好，我收下了。你落個款吧！」

左宗棠於是又提起筆，在後面補了幾行小字：「滌生兄奉命復出，囑余書老子『守雌』之言以自束。余以爲不可，改書古亮之言以貽之。今亮咸豐八年六月於只進不退齋。」

曾國藩雙手接過這份重禮。

「這幾天你下榻哪裏？」左宗棠問。

「暫住在城南書院。」

「明天一早我來拜會你，與你談談這次浙江用兵的一些想法。」

「好！」曾國藩感激地說，「我在書院恭候大駕！」

當左宗棠親送曾國藩出門時，只見陶公館中門大開，十多名衣冠整齊的僕從肅立兩旁。曾國藩心裏暗暗得意：此行的目的已圓滿達到了！」

四　巴河舟中，曾國藩向湘軍將領密授進軍皖中之計

一連幾天，曾國藩坐著綠呢大轎，遍拜長沙各衙門，連小小的長沙、善化兩縣知縣，他也親去造訪。手握重兵的湘勇統帥，如此不記前嫌、謙恭有禮的行動，使長沙官場人人自慚，紛紛表示要盡全力支援子弟兵在外打勝仗，立軍功。

與駱秉章、左宗棠商量後，曾國藩決定帶張運蘭的老湘營五千人、蕭啓江的果字營四千人赴浙江。去年八月，王鑫率老湘營在江西樂平一帶打仗，病逝於軍營中，老湘營便由張運蘭統領。不久，老湘營奉調回湖南。當年射雁得腰刀的張運蘭，在曾國藩的腦子裏有深刻的記憶。張運蘭告訴曾國藩，王鑫臨死前，將曾所贈的《二十三史》留給了他，叮囑他以前代名將爲榜樣，把老湘營帶成一支百戰不敗的軍隊。曾國藩聽後感嘆不已。一個不可多得的人才，正在自己的激勵下逐步走向成熟，可惜三十三歲便遽爾身亡。張運蘭不具備獨當一面的大將之才，但他有心向學，敢於任事，曾國藩認爲這便可取；能如此，即便是中才，也可以做出大事來。他勉

勵張運蘭繼承璞山遺志，莫負厚望，並命他加緊準備，十天後便率部由醴陵進入江西，在廣信府河口鎮集結待命。蕭啓江字濬川，和張運蘭一樣，也是湘鄉人，監生出身。咸豐二年來長沙投營，曾國藩見他厚實可靠，便把它留在親兵營有意培植，後又薦他到吉字營當營官，不久便因母喪回籍。他患耳病重聽，大家都喊他蕭聾子。這次，曾國藩少不了也勉勵他一番，要他率果字營和張運蘭一起入贛。

劉蓉這時正在家守母喪，不想隨曾國藩入浙。曾國藩也以劉蓉跟著他幾年，未保一官半職而覺得虧待。不僅劉蓉，還有康福、李元度、彭壽頤、楊國棟等人，都未曾保薦。前幾個月，李元度的母親來信質問他這事，曾國藩無可回答，只能說些充滿感情的「三不忘」之類的話來搪塞，並約結兒女親家作慰藉。過去認爲這是爲朝廷矜惜名器，通過這次自省，他也認識到了，這也是先前戰事不順暢的原因。沒有重賞重保，怪不得部下不出死力。在這點上，胡林翼也做得好。自從接管江西的湘勇後，他將李續賓的父親接到武昌撫署，以父禮待之，又將自己的妹妹許配給羅澤南的兒子，使得李續賓兄弟和羅澤南舊部感激奮發。曾國藩決心在這方面今後也要改弦易轍。陳士杰這兩年在家辦團練，自建一營，號稱「廣武軍」，正幹得起勁，也不想出來。曾國藩於是請王鑫族叔王人瑞管理營務處，李瀚章總理轉運局，彭王姑的兒子彭山屺護理糧台，老營官鄒壽璋管理銀錢所，郭嵩燾的二弟郭崑燾管理公牘，江西舉人許振禕管理書啓，軍械所和文案將由仍在江西軍營的楊國棟、彭壽頤管理。

曾國藩一一接見王人瑞、李瀚章、郭崑燾等人，以大義剴切曉喻，以優保暗作許諾，聽者心中明白，個個踴躍。同時，又分批召見老湘營、果字營哨官以上的將官和參與軍事的隨行人員，和他們個別交談。對於其中有特點的人，則簡短地記在當天的日記中，以備今後量才使用。曾國藩在道光十九年開始逐日記日記，後來停止了。爲日日督促自己，並記下當天的主要事情，這次復出後，他恢復了中斷十三年的日記。曾國藩又向駐紮在江西的李續賓、曾國華、曾國荃、楊載福、彭玉麟、鮑超、李元度等人發出函札，令他們接信後迅速趕到巴河見面，有要事商量。

儘管天氣酷熱得流金鑠石，曾國藩卻一掃一年多來的頹靡心緒，每天從清晨忙到半夜，將各項應辦大事小事，考慮得周密細致，處理得井井有條。

在長沙忙了半個月後，曾國藩帶著一班隨員解纜北進。駱秉章、左宗棠等大小官紳，一齊到小西門碼頭送行。曾國藩站在甲板上，滿臉堆笑，謙容可掬，一再彎腰舉手，向送行者頻頻致意，與當年蔑視湖南官場的在籍禮部侍郎相比，判若兩人。

長沙城漸離漸遠。江風吹拂戰旗，波浪拍打船頭，曾國藩看在眼裏，覺得通體舒適。他走進艙內，正想靠著窗口打個盹，却忽然想起一件應辦的事還沒辦。

歐陽夫人提過多少次了，紀澤原配賀氏死去多時，冢婦不可久缺，宜早爲他定繼室；四女紀純十三歲了，尚未定親，此事也不能再拖。前向心情不好，無心操辦。啓程那天，夫人再三叮囑，離長沙前一定要把兒女婚事定好，寫好庚帖付回。誰知一到長沙，便忙得不可開交，曾國藩爲未盡到父親之責而感到歉疚。其實，他心裏早有考慮，只是尚未最後拿定主意。二十年來，與他關係最爲親密，前幾年又爲他出力最多的人，一是郭嵩燾，一是劉蓉，而這兩人都沒得過他的絲毫好處。現在，他們一在京師，一在湘鄉，今後想保舉也不可能了，唯一補救的法子便是結兒女親家。曾國藩不再猶豫了，立即拿出三張紅紙來，分別寫上：「曾紀澤生於己亥十一月初二日寅時　父曾國藩」，「曾紀純　生於丙午九月十八日未時　生父曾國藩」，「曾紀純　生於丙午九月十八日未時　繼父曾國葆」。原來，滿弟國葆結婚多年未有生育，咸豐四年由曾麟書作主，將國潢之子紀渠和國藩之四女紀純、滿女紀芬出繼給曾國葆爲子女，故他爲四女寫了兩張庚帖。又拿出兩個信封來，一個寫上：「曾國藩謹拜孟容劉蓉幾下，戊午六月二十七日長沙舟次」，將紀澤的庚帖裝進這個信封裏。一個寫上：「曾國藩謹拜筠仙郭嵩燾幾下　戊午六月二十七日長沙舟次」，將紀純的兩份庚帖裝進這個信封裏。又給歐陽夫人寫了一封家信，告訴她，郭家也必須來兩份庚帖一份給生父，一份給繼父；並將請彭玉麟、楊國棟爲兒子的媒人，請李續賓、楊載福爲女兒的媒人。完成這樁事後，曾國藩感到一陣輕鬆。二子五女，唯一只剩滿女未定親了，家事也只這一樁了。兵凶戰危之地，隨時都有生命之虞，必須盡快爲滿女尋一個好婆家，那時即便死去，作爲一個父親，也算大致盡到職責了。

一路順風，船航行七日後到了武昌。作過一番官場應酬後，曾國藩一頭栽進了巡撫衙門。從私交到國事，從朝廷到地方，從湘勇到太平軍，從過去的失誤到今後的設想，曾國藩和胡林翼足足談了三日三夜。在離開武昌前往巴河的途中，對今後的用兵方略，他已成竹在胸了。

巴河是長江邊一個小鎮，在黃州府下游五十里處，彭玉麟的內湖水師有五個營駐紮在這裏。船開出黃州府不遠，彭玉麟就親駕小舟前來迎接了。

「滌丈，江西湘勇盼望你老復出，眞如大旱之望雲霓，嬰兒之望慈母呀！」彭玉麟上了大船，以充滿感情的聲調說。聽得出，當年渣江街上的奇男子，今日威名赫赫的水師統領的話是發自內心的。曾國藩緊握彭玉麟的手，注視良久，動情地說：「雪琴，這一年來，你瘦多了！」停一會，他忽然笑問：「聽說你去年打下小姑山後，在石壁上題了一首絕妙好詩？」

「它居然傳到荷葉塘去了？」彭玉麟快樂地說。

「這叫做不脛而走。」曾國藩抑揚頓挫地念著，「書生笑率戰船來，江面旌旗一色開。十萬雄師齊奏凱，彭郎奪得小姑回。雪琴，這最後一句，眞正是妙語天成！」

曾國藩這幾句笑話，又勾起彭玉麟感情最深處的那縷情絲。「後人只能讀懂這句詩的文字，至於深處的情意，他們將永遠不可能理解。」彭玉麟心想。曾國藩正要問國秀母子的情況，李續賓和曾國華的座船到了。曾國藩和李續賓及六弟親親熱熱地道著別情，大家合坐一條船一起下行。將到巴河時，遠遠地看見楊載福、李元度、鮑超、楊國棟、彭壽頤等人在船頭眺望。只有曾國荃因吉安城外的戰事正處在白熱化階段，暫且不能脫身外，所有該到的將領都來了。分別一年多了，今天重見這些和他一起從硝烟中走過來的舊部，曾國藩心裏百感交集。在荷葉塘時，他就聽別人講過：湘勇官兵，朝廷命令難以調遣，綠營將帥不能統領，但是曾國藩一紙書函便千里赴命，不辭水火。這些話，當時令他憂多於喜。現在見他們一個個由衷地熱情接待，曾國藩欣慰萬分。他於此看出了當年的功夫沒有白費，也看到了自己的力量所在。

當天夜晚，曾國藩召見李、楊、彭、曾、鮑等人。這是一次異乎尋常的重要軍事會議，會址選在彭玉麟寬大的座船上。爲做到絕對保密，船划到了江心。船頭船尾又安排了幾名親兵巡視。

見面以來，李續賓、彭玉麟等人便向曾國藩提出了一系列問題，如：目前在江西的人馬是否全部赴浙江？各路人馬進軍路線如何？水師怎麼走？等等。這些問題，從接到上諭那天起，曾國藩就開始考慮了。不過，他考慮得更多的是整個東南戰局的設想，是如何穩紮穩打，步步進逼江寧。從荷葉塘到長沙，從長沙到武昌，從武昌到巴河，他沿途都在想，計畫慢慢地由模糊到淸晰，由零碎到完整。今夜，他要對這批心腹將領全部倒出來，再聽聽他們的意見。

「諸位的人馬都暫且不到浙江去。」曾國藩開頭的一句話，便把大家弄糊塗了；朝廷明文命令湘勇援浙，爲何都不去呢？「張凱章和蕭浚川的九千人目前已到分宜，援浙一事由他們擔負。我和潤芝都認爲，長毛在浙江不會待得太久，很可能是個誘兵之計，想引誘我們到福建去，利用福建的叢山峻嶺和我們兜圈子，企圖把湘勇的鬥志消磨在霧嵐瘴氣之中。」

李續賓等人都沒有想到這一層，鮑超伸了伸舌頭說：「長毛都是從山裏殺出來的，最會兜圈子，咱老鮑可吃不了這一套，一進山，便辨不出東西南北了。」

衆人都笑了。

「所以不派你鮑春霆去。」曾國藩也淡淡笑了一下，便接著說，「不過，也得作兩手打算，還得調一支人馬到浙江附近。次青，平江勇實有多少人？」

「號稱五千，實有四千一百人。」李元度答。

「平江勇在饒州府，離浙江最近，你回去後率之南下，駐紮玉山、廣豐一帶。凱章、浚川二十天後將到河口，那時你再和他們聯繫。」

「是！什麼時候趕到？」

「從明天算起，十二天內到玉山，做得到嗎？」

「到防不成問題，只是官勇們缺餉三個月了。」李元度答。

最大的問題就是餉銀！過去這事最叫曾國藩頭痛。沒有督撫實權，客懸虛位，調不出半點錢糧，一年到頭，像個叫化子一樣向四方乞討。現在仍只是一個侍郎空銜，處境並沒有改變。一路上，曾國藩愁的就是它。這個李元度，話不及三句，便索起餉來了。幸而駱、胡慷慨資助，這幾個月還勉強對付得過去。

「朝廷未撥款下來，經費十分枯竭，各位都要勒緊褲帶，先開拔再說。」他轉過眼望著李元度，「待胡中丞解來銀子後，再撥四萬一千兩給你。」

聽前面的話，李元度失望了，後面這句話，他又轉憂爲喜，心想：好厲害的曾滌生，算好了一人十兩。先知如此，我五千人一個不滅！

「我們怎麼辦呢？仍在原地不動？」一向心高氣躁的曾國華忍不住了，急著問。

「這就是我們今夜要商量的大事。」曾國藩嚴肅地向四周望了一眼，「諸位，六年前，我們在長沙初建湘勇時，大家便有一個想法，那就是今後要打到江寧去，徹底蕩平這股巨寇。我想，這個初衷，諸位都沒有忘記吧！」

「哪裏忘得了！」楊載福說。

「日日思之，念念不忘。」彭玉麟插話。

「應該這樣。不但諸位要這樣想，還要告誡部下都不要忘記。我湘勇數萬將士都要以此作爲最高目標，不達此目的，誓不罷休！」說完這幾句話後，曾國藩換了一種平緩的口氣，「諸位都知道，洪逆是從長江上游東下而佔據江寧的，故江寧上游乃洪逆氣運之所在，現湖北、江西均爲我收復，江寧之上，僅存皖省，若皖省克復，江寧則早晚必成孤城。」

「滌帥的意思，是要我們進兵安徽？」一貫深沉寡言的李續賓，已從曾國藩的話中窺測到下步的用兵重點，他試探著問。

「對！」曾國藩以讚賞的目光看了李續賓一眼，「迪庵說得很好，看來你平日對此已有思考。

爲將者，踏營攻寨算路程等等尚在其次，重要的是胸有全局，規劃宏遠，這才是大將之才。迪庵在這點上，比諸位要略勝一籌。」

曾國藩順勢揄揚李續賓幾句話，從竹箱裏拿出一幅鄂皖贛蘇浙地圖懸掛起來，開始切入正題。大家悚然端坐，用心細聽。

「我全體湘勇，除沅甫吉字營繼續攻打吉安外，其餘的將新開闢兩個戰場。一是奉旨援浙，由我統領，凱章老湘營、淩川果字營爲陸師先鋒，次青平江勇爲後援，厚庵水師爲接應。一是進兵皖中，由迪庵統率陸師，溫甫爲副，春霆霆字營充援軍，雪琴水師控制江面，封鎖安慶以上的水路，嚴格控制過往船隻，尤其是洋船。皖中用兵的最後落脚點在安慶。」

衆人一齊點頭。李續賓問：「我們的進軍路線呢？」

「你們從大同鎮進入安徽。」曾國藩拿起朱筆，在鄂皖交界的大同鎮三字上畫了一圈，「然後再翻越獨山，打下太湖，繼而拿下潛山，進兵桐城、廬江，從東北兩面包圍安慶。春霆暫在浮梁不動，拖住徽、池一帶的長毛，待迪庵、溫甫兵圍安慶之後，再從南面渡江支援。」

「大人，我們霆字營已斷餉多時了。」鮑超也叫起苦來。

「待胡中丞的餉銀解來後，也會給你們發點。不過，我聽說霆字營這幾個月越來越不像話了，有的人甚至白日搶劫，有沒有這事？」曾國藩嚴厲地問鮑超。

「斷餉日子久了，弟兄們做出些越軌的事可能有。」鮑超支支吾吾地。

「實在無錢了，你們去把婺源縣城打下來，把長毛聚斂的財產拿出分一點都可以。搶劫百姓的東西，這是自掘墳墓，懂嗎？」曾國藩瞪了鮑超一眼。

「懂！」鮑超爽快地回答。有這句話，他今後可以名正言順將婺源縣城搶劫一空了。不過，他心裏也在想：從前曾大人可從來沒有這樣開過恩呀！

「長毛在皖中的駐兵雖不多，但陳玉成的兵集結在六合一帶，數日間便可進入皖省，我和溫甫的人馬合起來不過七千人，兵力單薄了些。」李續賓頗有顧慮地說。

「自古兵在精而不在多，七千人也不算少了；且鮑超尚有四千精兵，加起來已過一萬。實在嫌少，到時還可以聯絡本地團練。不過，安徽的團練十分複雜，你們要慎重行事。」

「我們不要團練，實在不夠，我再回湘鄉募勇。」曾國華大大咧咧地說，「一個月內，一定要拿下太湖、潛山，兵臨安慶城下。」

「溫甫氣概可嘉，但亦不可輕敵。」曾國藩說，「皖省多年來陷於石逆之手，石逆在皖省以減租抗租手段籠絡人心，收買愚民；且皖中爲江寧屏障，洪逆必然拼死抵抗，你們要作好打惡仗的準備。」

李續賓神態堅毅，曾國華不以爲然，但都不再說話了。

「對於整個用兵方略，諸位還有什麼高見？」曾國藩環視四周，衆人或凝望著地圖，或托腮思考，一時都說不出更好的意見來。李續賓站起來堅定地說：「滌師放心，我和溫甫一定通力合作，力爭三個月內收復皖中全境，以慰羅山、璞山在天之靈。」

「好！」曾國藩神情莊重地對大家說，「我在此向各位交待。援浙一事，是奉命而行，長毛的動向一旦有所變動，我們也要隨之變化，故這並不是一個固定的戰場。而進兵皖中，乃是目前我們的根本方略，它關係到奪取江寧首功的大局，無論局勢發生什麼變化，這個戰場決不能改變。今夜會議到此爲止，明早各人上岸去，按此部署進行。」

曾國藩的話音剛落，幾個廚子便魚貫進艙，端來香氣四溢的鷄鴨魚肉。這是彭玉麟爲大家準備的夜餐。見夜空月色皎潔，曾國藩心中歡喜，遂步出艙門。

長江月夜，江面如同無邊無際的汪洋大海，顯得莽莽蒼蒼、恢廓大度，有一種迥異白日的朦朧壯觀之美。曾國藩望著江景，隨口吟起了蘇東坡的《赤壁賦》：「壬戌之秋，七月既望，蘇子與客泛舟遊於赤壁之下，清風徐來，水波不興，舉酒屬客，誦明月之詩，歌窈窕之章。少焉，月出於東山之上，徘徊於鬥牛之間，白露橫江，水光接天，縱一葦之所如，凌萬頃之茫然，浩浩乎——」

突然，他停止吟咏，意外地發現約在二十多丈遠的江面上似有一個人頭在出沒。他揉揉眼睛，再仔細盯著：的確是一個人，正在向下游游去！這是什麼人呢？是守夜的漁翁？還是有急事過江的弄潮兒？不，應該說都不可能是！曾國藩在心裏想著，難道是偷聽軍情的奸細？他想到這裏，不覺心裏一驚，悄悄地把彭玉麟喊到身邊，指著江中起伏不定的黑影問：「雪琴，你看江面上那個黑圓坨坨是什麼？」

彭玉麟順著曾國藩手指的方向看去。

「哦！那是一頭江豬。」他笑著說。

「江豬？」曾國藩疑惑地說，「你再看看，好像一個人頭。」

「不是的。」彭玉麟又看了一眼，肯定地說，「那是江豬，我在長江上看得多了。它的書名叫江豚，老百姓都叫它江豬，樣子就像一頭小豬，背部黝黑黝黑的，在江浪之上一起一伏的，就像一個人在游水。唐才子許渾有一首金陵懷古詩還提到了它。」彭玉麟想了一下，念道，「石燕拂云晴亦雨，江豚吹浪夜還風。這江豬最喜夜遊。」

「聽你這樣說來，那眞的是江豬了。」

彭玉麟有根有據的回答打消了曾國藩的疑惑。他再看遠處，那個黑影已消失不見了。

「滌丈，進艙用夜餐吧！我特爲你老安排了最好吃的長江紅燒鮰魚。」

「好哇，去嚐嚐巴河廚師的手藝！」曾國藩興沖沖地回到了船艙

五　東王顯靈

事實上，彭玉麟錯了，江面上的確是一個人在游水。此人專程前來刺探湘勇絕密軍情，他不是別人，正是官封太平軍總制的康祿。曾國藩復出的消息傳到浙江後，他奉李秀成之命，化裝來到巴河打探軍情。這幾天，巴河鎭紛紛傳說曾國藩將在這裏召見各路將領，康祿暗暗高興。午後，康祿在河邊親眼看到了曾國藩在李續賓、彭玉麟等人簇擁下，邊走邊談，沿著石階上了岸。這個兩次險些死於他手下的湘勇統帥盡管精神尚好，但已明顯地衰老了。康祿與曾國藩打了多年交道，知道曾國藩辦事一向不分晝夜，既然各路將領都已到齊，今夜必有重要活動。

康祿密切注視著巴河鎭的動向。傍晚，他見曾國藩一行走進停泊在江邊的大船，接著船又開到江心。他明白了。趁著雲彩遮住月光的時候，康祿潛游到了船邊。輕手輕脚地上了船，又

將守在艙外的那個親兵不露聲響地招死了。康祿換上那個親兵的衣服，緊靠著艙邊站定。月色朦朧的夜晚，誰也沒有發覺這個親兵是太平軍假冒的。艙中的議論，淸楚地傳入康祿的耳中。一切都已聽到後，他才悄悄離船下水。

康祿水性很好，他輕而易擧地游出兩三里，然後大搖大擺地上岸走了。第二天早上，他覓得一匹快馬，日夜兼程，趕到湖州，將曾國藩分兵兩路，重在向皖中進軍的機密報告了李秀成。

這個面白身小、狀如秀女的後軍主將，正在全力應付曾國藩的入浙，聽完康祿的報告，心裏一怔：這個老奸巨滑的妖頭！

李秀成本人並沒有和曾國藩交過手。這些年來，他的對手是江北、江南大營和江浙兩省的綠營。不過，對曾國藩，他已久聞其名了。李秀成對曾國藩以進兵皖中爲重點的用兵方略不敢等閑視之。他當即作出兩條決定：一是派人火速進京，將此情報上奏天王，請天王令陳玉成、李世賢、韋俊和他自己在安徽樅陽集會，商討應付辦法；二是命林紹璋按原定計劃，打著他的旗號，由浙江下到福建，把曾國藩引到贛閩交界的叢山之中，使其水師不起作用，然後再團團包圍，一鼓聚殲。他料定曾國藩明知是圈套，在朝廷的敦促下，也不得不入。接到天王同意的詔書後，李秀成帶著羅大綱、周國虞、康祿等人星夜奔赴樅陽。

樅陽分上下兩鎮，兩鎮相距八里地，扼控破崗湖、菜子湖、禧子湖三湖入長江之口，下距安慶水路八十里，是個軍事要鎮，李秀成的親信吳定規帶領一萬精兵駐紮在這裏。

這兩年來，李秀成內心深處很痛苦。天京城內血流成河、屍積如山的慘景，在他腦子裏的印象太深刻了。每當夜深人靜之時，他常常會無端地聽到女人的悲號、嬰兒的啼哭。這個出身赤貧，舉家投奔天國的太平軍老兄弟，這時心裏便會一陣陣劇痛。天王畢竟是戰火中打出來的領袖，在翼王出走後的關鍵時刻，將幾十萬大軍重新組織了起來。尤其令李秀成慶幸的是，天王沒有把韋俊排斥在外。是的，韋俊手下有一支强大的人馬，決不能把他推到清妖那邊去！對建立五軍主帥這個決策，從整體上說，李秀成是很支持的，但他也有不滿。論年紀，李秀成長陳玉成十歲，論才能，論戰功，李秀成也不在陳玉成之下，爲什麼陳玉成的爵位和權力都要在他之上呢？李秀成是顧全大局的。他清楚，目前天國的萬斤重擔已壓在他們幾個人的肩上，再不能因個人的利益吵鬧了，否則，天國這隻風雨飄搖的船，就眞要傾覆了。自天京事變以來，天國再也沒有召開過這樣大規模的高級軍事會議，李秀成很希望通過這次大會，將大家再次凝聚起來，重振當年百戰百勝的威風，徹底挫敗曾妖頭的陰謀。

幾天後，陳玉成、李世賢、韋俊以及皖省戰場上的六十餘名高級將領都陸續來到了樅陽。連日來，秀成、玉成、世賢、韋俊四個主將和參加會議的全體高級將領深入分析了敵我雙方的形勢。認爲曾國藩剛剛復出，還未來得及從容調度各方兵力，江北、江南大營將驕兵惰，暮氣沉重，宜趁此機會來一場大仗。一個想法驟然閃電似地出現在李秀成的腦中，他與玉成一商量，一拍即合。

三天後，即太平天國戊午八年七月二十七日，是楊秀清被殺兩周年忌日。內訌平息後不久，洪秀全念及楊秀清是開國巨勛，又憤怒韋昌輝的濫殺無辜，爲安定軍心，維繫國運，他恢復了楊秀清的東王爵號，讓其第五子襲封爲幼東王，並定東王被害這天爲東升節。

二十七日子夜，樅陽鎮上，無論兵營民房，門口都點燈兩盞，供茶三杯、白飯三碗、菜三盤。兵營由最高長官、民房由戶主帶頭率領全體人員，手捧三炷香，跪拜在地，對天禱告：願東王在天堂永享尊榮，並庇佑下界生靈早得幸福。

在原樅陽上鎮的首富馬家大院裏，所有參加會議的將領們已恭立在花廳中。這裏的儀式比鎮上兵營、民房的儀式要隆重得多。

花廳正面，臨時扯起一道青布幃幕，幃幕上懸掛著一幅東王升天圖。圖上的東王，並不是事實上的血肉模糊、橫屍臥室，而是身穿龍袍，飄髮仗劍，由和風瑞雲徐徐送到半空。東王像前擺著一張條形長几，上面燃著十多支龍風大蠟燭。也只三杯茶，不過那茶杯是景德鎮制的御用青龍雪底縷花細瓷杯。也只三樣菜：一盤辣椒爆炒狗肉，一盤武昌團頭魴魚，一盤燉熊掌——都是東王生前最喜歡的，不過那盛菜的盤子，却是專程從江寧宮中運來的全金御用盤。也只三碗飯，不過那飯是用天王宮中珍藏的江永黃土坳香米煮成，雖只小小的三碗，却香溢整個花廳。四周燃著數百根蠟燭，每個將領手中也都捧著三炷香。香烟繚繞，燭光閃爍，衆人面對著栩栩如生的東王像，心中升湧著神聖崇高的情感。

悼念儀式由又正掌率、前軍主將成天豫陳玉成主持。玉成雙手捧著一張黃裱紙，紙上有朱筆寫的幾行字，神色莊重地走到東王像前三鞠躬，秀成、世賢、韋俊、大綱、國虞等人站在玉成後面，也跟著三鞠躬。鞠躬完畢，玉成跪下，衆人也跟著跪下。玉成拿起黃裱紙，高聲朗誦：「我們讚美——」

花廳裏頓時響起一片和聲：「我們讚美——」

接著，他們跟著玉成一句一句的誦道：「我們讚美上帝爲天父，是魂爺爲獨一眞神，讚美天兄爲救世主，是聖主捨命代人；讚美天王是聖賢，是拯救萬物聖人；讚美東王是神聖風，是聖靈贖病救人；讚美西王爲雨師，是高天貴人；讚美南王是雲師，是高天正人；讚美翼王是電師，是高天義人。」

這本是甲寅四年燕王秦日綱撰寫的「讚美詩」，其中還有三句：「讚美北王是雷師，是高天仁人；讚美燕王是霜師，是高天忠人；讚美豫王是露師，是高天直人。」後來，豫王被削去王爵，讚美詩的最後一句跟著删去了。內訌之後，讚美北王、燕王的兩句也删去了。

朗誦完畢，陳玉成轉過身，將黃裱紙焚燒，衆人起身，一齊大呼：「願我眞天命太平天國禾乃師贖病主東王在天堂永享富貴！」

李秀成走出隊列，來到几案前，對衆位將領講話。李秀成本是楊秀清一手提拔的人，對楊秀清有著深厚的知遇之恩，又對他卓越的才幹很崇拜。李秀成滿懷深情地講敍了東王從金田起義以來的赫赫戰功以及治理天京的超羣才能，讚美他料事如神，愛才如命，愛兵如子。說到動情處，這個堅强的廣西漢子淚如雨下，聲音哽咽。

花廳中的將領，包括陳玉成、李世賢在內。絕大部分也都是楊秀清所提拔的，無不對楊秀清有極深的感情。秀成的演講，把他們帶到了昔日跟隨天王、東王所向無敵，節節勝利的歲月。那是多麼激動人心的日子啊！武昌攻下了，九江攻下了，安慶攻下了，百萬大軍一瞬間便進了小天堂。東王在天王宮裏，代表天王向各位有功將領頒賜爵王，封授官職。永安許下的諾言，沒有失信！那時的天國將士，意氣風發，英雄豪邁。北征、西征，凱歌陣陣，捷報頻傳。這是一個多麼壯麗輝煌、蒸蒸日上的事業啊！眼看北京就要攻下，全國就要光復，孰料風雲陡變，禍起蕭牆，東王倒在血泊中，三萬將士喋血天京。天國的軍事實力大受挫傷，然而，挫傷更重的還是心靈。一時間，在不少將士的心目中，美好的信仰毀滅了，堅定的信念動搖了。爲什麼高喊人人平等的領袖們，卻要制定等級森嚴的禮儀制度？爲什麼同是天父的兒子，卻要兵刃相見，殘忍毒殺？大部分從金田和兩湖過來的老兄弟們，對天國有著極其深厚的感情，他們對這兩年來的局面痛心疾首，他們對翼王由傾心仰慕、寄與厚望到日漸不滿，由對翼王的不滿又轉而懷念東王，懷念東王罕見的軍事組織才幹，更懷念東王領導他們打勝仗、滅清妖的崢嶸歲月……

「弟兄們！」秀成宏亮的廣西官話聲震屋瓦，「東王沒有死，他正在天堂陪著天父天兄，保佑我天國國土及數十萬將士。他近來常托夢給我，要我們忠心服從天王，汲取教訓，重新團結起來，徹底消滅清妖的日子已經不遠了，我天國已度過了最艱難的關頭，國運正在好轉，大家捨命奮鬥兩三年，就可以永享大富大貴了！」

這時，一陣風起，花廳中的蠟燭大部分被吹熄，只見似有似無的燭光中，東王升天圖飄落下來。突然，一個令人驚駭萬分的怪事出現了：原來掛圖的地方，現在筆挺挺地站著一個人。這人頭戴單龍雙鳳冠，身穿九龍團綉袍，雙目炯炯，面孔黑紅。這不是東王嗎？衆人先以爲是眼花看錯了，揉揉眼睛，定定神再細看，不錯，果然千眞萬確是東王！衆人在心裏呼喊：「東王顯靈了！」大家既興奮異常，又恐懼不安，戰戰兢兢地重又跪下。

「玉胞、秀胞。」東王威嚴的聲音響起，只是比在生時緩慢嘶啞，「清妖江北大營氣數已盡，你們速去殲滅。清妖進犯皖中，自取滅亡，你們可在三河一帶消滅它。我走了。」

說完，東王起身，向花廳外走去，唬得衆人磕頭不止，不敢仰望。過了好長時間，衆人才把頭抬起，東王早已回天堂去了。玉成激動地對大家說：「今夜大家親眼看到東王顯靈了。東王命我們殲滅清妖江北大營，在三河消滅曾妖頭，弟兄們，我們怎麼辦？」

「聽從東王誥諭！」衆人毫不猶豫地高聲呼喊。

六　七千湘勇葬身三河鎮

部署用兵方略的次日下午，曾國藩的座船起錨下行。在武穴，他會見了多隆阿。這一年多來，多隆阿的綠營仗著湘勇的聲威，也打了幾次勝仗，他自己因此升了官，賞了黃馬褂，士兵們也跟著發了財。盡管對湘勇仍有很深的偏見，比起其他滿蒙文武來，他的態度算是友好的。曾國藩把他著實恭維了一番，圖謀皖中的事暫不告訴，只建議他的部隊移防到滁州、和州一帶，明說是作下一步攻江寧的準備，實是安排他的人馬堵從江寧過來的援兵，保證李續賓、曾國華的成功。多隆阿不明白此中奧妙，欣然接受了。

船過九江府，曾國藩來到塔齊布祠，燃香焚紙，憑吊了一番。第二天到了湖口。這是內湖外江水師的大本營。所有哨官以上的將官，一齊整隊在此恭候。曾國藩見到自己親手創建的水師如此興旺，且一如既往地對自己忠心耿耿，欣喜異常。他破例給每個水勇賞錢二千文，又親到湖口水師昭忠祠祭奠。然後來到長江邊，擺上供飯供果，焚香燒錢紙。曾國藩在供品前跪下，望空三拜，放聲大哭，將供飯供果一齊拋進江中，又把親撰的「巨石咽江聲，長鳴今古英雄恨；崇祠彰戰績，永奠湖湘子弟魂」輓聯點火焚化。儀式隆重，感情親切，陪祭的水師將官無不為之動容。

到了南昌，曾國藩如同在長沙一樣，主動遍拜南昌官場，並每人送上一簍上等君山毛尖。南昌官場這一年多來也發生了很大的變化。文俊因德音杭布事，被撤去了巡撫職，召回北京，原布政使耆齡升任巡撫。曾國藩對耆齡等人檢查了自己過去在江西的差錯，承擔了未與地方商量擅建厘卡的責任，緩和了以往與南昌官場格格不入的氣氛。

曾國藩正擬按原計劃赴廣信府，與張運蘭、蕭啓江會合東進浙江時，接到五百里緊急上諭。上諭說浙江局勢稍疏，閩省吃緊，命曾國藩率部改道入福建。曾國藩接到上諭後，便從撫州府，經水路去建昌府。就在曾國藩赴閩途中，陳玉成、李秀成有意調走皖中部隊，集中優勢兵力回撲江北，在烏衣至江浦一帶大敗德興阿的江北大營。正在向皖中進兵的李續賓、曾國華趁著這個空隙連戰連勝，接連攻下太湖、潛山、桐城、舒城。掠足了金銀財寶的湘勇，沉浸在一片狂喜之中。下步兵鋒指向何處？南下打安慶，還是北上攻廬州？李續賓欲暫時駐兵舒城，略事休整，待鮑超霆字營過江後，再合圍安慶。曾國華不同意。

「迪庵兄，用兵之道，在於乘勢，今我軍連克四城，兵勢正盛，亟宜乘勢北進，攻克廬州，豈可屯兵休整？」

曾國華生性驕躁，好大喜功，前些年初帶兵時常受挫，尚能做到謹慎收斂，近來輕取四城，遂以爲用兵打仗亦不過如此，功可立成，名可立就，對李續賓的穩愼頗爲不滿。見李續賓尚在沉吟，他繼續慷慨陳詞：「廬州地處皖中，城池大而富庶，皖省運往江寧的糧餉，陸路大半經廬州運輸，實爲發逆老巢之西面屏障；且今日廬州已爲皖省臨時省垣，其地位更非往日相比。廬州收復，則皖省全局皆在掌握之中，北出鳳陽、潁州，南下安慶、池州，都可居中從容調度。」

「滌師在巴河舟中已指示我們先圍安慶，且春霆不久即可過江，我看還是以南下爲宜。」李續賓不善言辭，說起話來，遠不如曾國華的酣暢淋漓。他覺得曾國華的話雖有道理，但不甚穩妥。

「迪庵兄。」曾國華笑了笑，不以爲然地說，「兵機瞬息萬變，難以預料，且我大哥亦未指示不能打廬州，我軍目前距廬州僅一百五十里，距安慶有二百五十里。安慶城高池深，一時難以攻破，當作長期打算，而廬州到底不如安慶之難下。以今日形勢言，下一廬州，其功勝過下皖省十縣。」

曾國華這話有道理。六月份，署理巡撫李孟羣陣亡，廬州失守，朝廷震驚。新巡撫翁同書只得將撫署暫設在壽州。朝廷責翁同書速下廬州，翁同書無力爲之，將全部希望都寄托在湘勇身上。收復廬州，功勞自然不小。但李續賓還有一層顧慮。

「據探報，陳玉成、李秀成正集結在浦口、六合一帶，與江北大營鏖戰。若是廬州危急，增援部隊三五天便可趕到。打廬州，不一定會勝利。」

「迪庵兄，你過慮了。」曾國華拍著李續賓的肩膀說，「陳、李二逆圍江北大營，志在解江寧之圍。正因爲德興阿扯住了陳、李，我們才可以放心打廬州。你不必再猶豫了，就讓他德興阿去賣命，我們摘現成的果子吧！滿人處處佔我們的便宜，這次也輪到我們佔佔他們的便宜了。」

一說罷，得意地大笑起來。曾國華身爲曾國藩的嫡親兄弟，一向被大哥視爲奇才，李續賓不便再堅持下去，心想：待攻下廬州後再回兵安慶也行，克復臨時省垣，畢竟是一樁大功。

李、曾統率的這七千人，其基礎是長沙建大團時的羅澤南一營，係湘勇中的精銳之師，當即全部開出舒城，兼程向廬州進發。沿途太平軍不戰自退，李、曾心中高興。傍晚，湘勇駐紮在金牛鎮。探馬報：前方四十里處的三河鎮外，長毛新築石壘九座，鎮上糧草堆積如山，兵器甲杖無數，從舒城、桐城一帶潰逃的太平軍亦聚在這裏，看陣勢，欲在此與湘勇決一死戰。

曾國華大喜說：「皖中糧食奇缺，據說人肉賣到一百二十文一斤。長毛大批糧食聚積此地，眞乃天賜我軍。」

李續賓也高興地說：「今夜安穩睡一覺，明早一鼓作氣拿下三河。」

二人正商議間，忽一人闖入帳內，高喊：「大帥，前進不得，請速退兵！」

曾國華看時，原來是一個年輕的讀書人，不經通報，徑自闖了進來，大怒道：「你是誰？知此處是什麼地方嗎？」

「大帥。」那人並不害怕，神色自若地說：「小生特地冒死前來相告，據確鑿消息，陳玉成、李秀成已在烏衣鎮大敗德興阿，江北大營全軍潰敗，目前正反戈進皖，三河乃陳、李設下的陷阱。」

「江北大營潰敗？」李續賓大驚。這個消息使李續賓對來人改容相待，忙請他坐下，親兵獻茶。李續賓問，「足下尊姓大名，何以知德興阿已敗於陳、李之手？」

「小生姓趙名烈文，字惠甫，江蘇陽湖人。今天上午從全椒來到此處訪友。昨天在縣城見到長毛先頭部隊，並聽他們說大軍隨後就會到。」

「不要緊，三河離廬州只有六十里，待我們明日拿下三河後，即全速北進，等陳、李二賊趕到廬州時，我們早已進城了。」曾國華並不把此事看得很重。

「大帥，這三河鎮不比別處。它前傍界河、馬柵河，後爲巢湖，右側爲白石山，左側爲金牛嶺。從南面入三河鎮，只有金牛鎮上一條大道。當地人稱三河鎮一帶爲一天然水葫蘆，葫蘆口即爲金牛鎮，裏面裝著半葫蘆水。此地易守難攻，故長毛將糧草器械存於此處，以便隨時接濟廬州、江寧。今長毛在鎮外添築九壘，金牛鎮大道撤除防兵，是有意讓大帥軍隊進葫蘆口，請千萬莫上當。」

「依你之見如何？」趙烈文將三河鎮一帶的地勢說得如此詳細，引起帶兵多年的李續賓的重視。

「依小生之見，立即從此地南下，趁廬江守賊不備，奇襲廬江城，定可一戰成功。」

「趙先生，謝謝你的好意。用兵打仗，豈同兒戲，北進廬州已定，不能改變，趙先生請回吧！」李續賓正在思索時，曾國華已不耐煩地下逐客令了。一個素不相識的青年後生的幾句話，就可以改變如此重大的進軍目標嗎？他生怕李續賓和趙烈文再談下去，被趙的話打動。趙烈文只得訕訕告退。

「兵機豈書生所知。」曾國華斷然對李續賓說，「管他水葫蘆、酒葫蘆，我們都要把它擊破。迪庵兄，明日起個早，我們分頭攻打。」

李續賓不想掃這個曾府六爺的興頭，同意了他的計劃。

吳定規半個月前來到三河，按照陳玉成、李秀成的佈置，環鎮構築九個石壘。這些天來，奉命讓城的太湖、潛山、桐城、舒城四城守將相繼來到三河，當他們得知李續賓、曾國華已駐兵金牛鎮的時候，無不佩服陳、李二主將的神機妙算。當天深夜，吳定規便派飛騎將這一重要軍情報告了已到全椒的陳玉成、李秀成。

第二天清早，李續賓、曾國華率領七千湘勇，氣勢洶洶地開到三河。一天激戰下來，九座石壘全部被攻破。石壘中盡是金銀美酒，湘勇個個喜笑顏開。

曾國華得意地說：「長毛只能嚇唬膽小無能的人。那個姓趙的既有心知兵事，又膽小無識見，可憐！打下廬州城，我請你到包孝肅祠堂痛飲三杯如何？」

「一定奉陪！」李續賓也快樂地笑起來。

此後，接連三天，湘勇對三河鎮發起强攻，均無功而回。原來，太平軍在鎮前挖了一道八丈寬、二丈深的護城河，西接馬栅河，東連巢湖，護城河被水灌得滿滿的。湘勇的進攻，都被河對面的火炮、强弩所壓住。連戰連勝的湘勇並不氣餒。一道護城河，能擋得幾天？白天無功而回，晚上回營照舊大吃大喝，不少人懷揣著掠來的銀子，半夜偷偷溜出營房，到附近農家去，找個女人睡上一兩個更次，再趁著夜色朦朧時回營來。大家都覺得這樣很痛快，巴不得不戰不和地在三河鎮多呆些日子。曾國華也偷偷幹起這個事來。他勾引了鎮郊一個小飯鋪的年輕寡婦。那婦人美貌風騷，遠勝他荷葉塘的妻妾。曾國華天天晚上瞞著李續賓在飯鋪過夜，並思量著如何把她藏在軍營中帶走。

就在這個時候，陳玉成、李秀成帶領十二萬人馬晝夜兼程，步步進逼三河。廬州守將吳如孝會合捻軍首領張樂行南下，阻遏可能從皖西來的增援部隊。當探馬將這一嚴峻形勢報告李續賓和曾國華時，他們才如夢方醒，但爲期已晚。李續賓一面火速派人向湖廣總督官文求援，請調駐紮在羅田、黃梅一帶的綠營前來幫忙，一面修築工事，準備迎戰。而此時恰巧胡林翼因母喪回籍，官文拿著李續賓的求援書遍示僚屬，取笑道：「湘勇名將九江都打下了，小小的三河算得了什麼？」遂不派一兵一卒。李續賓大爲失望，又不好意思厚著臉皮再請求。

太平軍在白石山、羅家埠、北夾關一帶佈下天羅地網，却並不立即向湘勇進攻。這一夜，曾國華按捺不住對飯鋪寡婦的思念，二更後，見毫無動靜，又悄悄溜出營房，鑽進了飯鋪的後門。

三更剛過，金牛嶺、白石山上陡起秋霧。霧越來越大，越來越濃，剎時間，從金牛鎭到三河鎭，方圓三四十里地面上的山水房屋，全部消失在一片夜霧之中。此時，陳玉成、李秀成將佈置多日的大網開始收攏了。

陳玉成率本部七萬人從金牛鎭大道向三河推進，李秀成指揮五萬人從白石山翻過來，吳定規統領三河鎮上一萬人馬踏過護城河，吳如孝、張樂行帶一萬人由西向東。四路人馬十四萬人，從東南西北四個方向，將七千湘勇團團包圍在三河鎮郊。當震耳欲聾的鼓角聲，把李續賓和湘勇們從睡夢中驚醒時，他們面臨著的，已是無可挽回的滅頂之災了。湘勇們驚慌失措，心膽俱裂，成百上千的人，稀里糊塗地頃刻間便做了無頭鬼。濃霧中，即便打起燈籠，十幾步外的人和物也看不見，李續賓又急又恨。周國虞命令手下人齊聲高喊：

「活捉李續賓！」

「抓住李妖頭，抽筋剝皮，報仇雪恨！」

李續賓慌亂之中顧不得找曾國華，提著一把劍倉皇而逃。

曾國華睡在寡婦溫暖的被窩裏，忽然被一陣粗暴的打門聲驚醒：「快開門，快開門！老子們要砸了！」

原來，這是幾個太平軍。前幾天，還是德興阿手下的綠營士兵，烏衣鎮兵敗後投降了太平天國，他們想趁混亂之機打家劫舍，發點財。曾國華猛地從被窩裏爬出，趕緊穿衣，寡婦嚇得臉色慘白，緊緊抱住他。曾國華推開寡婦，抽出佩劍。門被衝開了。火把之中，士兵們一眼看見放在床頭的曾國華的官服，驚叫道：「這是一個清妖！」

「還是一個官兒哩！」

「抓活的！」

說話間，幾個士兵一擁而上。曾國華畢竟是一個書生，如何是他們的對手。交手不過兩三下，劍便被擊落，立即被活捉了。士兵們狂呼亂叫起來，拿麻繩將曾國華綁得死死的，吆喝著推出門外。一個官兵盯著寡婦，捨不得走，有人在門外吼：「色鬼！想打水炮了？你若不去，賞銀沒你的分。」

那人走到寡婦身邊，在她的臉上重重地掐了一下：「小娘們，待會兒再跟你痛快玩一陣。」

曾國華垂頭喪氣地走出門口，聽見四面八方的喊殺聲，方知太平軍已展開了全面進攻，後悔不迭，心中尋思著如何逃走。

太陽出來後，霧消散了。李續賓帶著百餘名親兵，慌亂之中逃到一個小山丘上。只見山丘周圍，太平軍人山人海，無數面紅、黃、藍、白、黑旗幟迎風招展，李續賓知今日已難逃厄運，懊喪地靠在一棵樹邊低頭長嘆。他後悔不該聽信曾國華的無知妄見，後悔沒有採納趙烈文的建議，恨官文不出兵救援，更恨自己麻痺輕敵，沒有料到敵人在霧夜中偷營，面臨著的毫無疑問的是全軍覆沒。從咸豐三年來，大大小小百十個戰役所贏得的三湘名將的聲譽將掃地以盡，滌師的進軍皖中的用兵計劃也全盤打破了。這時，周國虞帶著一支人馬冲上山來，大喊：「樹下的那個清妖便是李續賓！活捉的，賞銀一千兩！」

話音未落，幾百名士兵吶喊著衝上山來。內中有幾個野人山的人，更是痛恨已極，高叫：「抓住李續賓這個狗娘養的！」「把這條惡狗碎屍萬段！」

李續賓身邊的親兵慌忙迎敵。李續賓雙脚都已受傷，他剛一邁步，便痛得錐心般難受。眼看太平軍就要衝上山頂，李續賓咬咬牙，解下腰帶，向北跪下三叩頭，然後將腰帶掛在樹杈上，踩著一塊石板，將頭伸進帶圈中，追隨他的老師羅澤南去了。

正午時分，陳玉成、李秀成勝利地結束了對太平天國後期起著重大作用的三河戰役，七千湘勇除兩三百名僥倖逃走者外，全部葬身三河鎭。

七　曾國華死而復生，不得已投奔大哥給他指引的歸宿

當李續賓、曾國華全軍覆沒的消息傳到江西建昌府時，曾國藩被這突如其來的噩耗嚇得幾乎暈死過去。他對李續賓寄托極大的期望，也相信李能不負重托。誰知恰恰就是這個老成可靠的李續賓壞了大事，不僅經營皖中、謀奪攻克江寧首功的如意算盤被打得粉碎，就連讓六弟依

附李續賓成名的想法也破滅了。他知道李續賓、曾國華在這種情況下定然難以生還，良將頓失，骨肉永別，心中傷悼不已。

這是湘勇出師以來，最爲慘重的失敗。建昌軍營上自將官，下至勇丁，幾乎人人都與三河陣亡的人員有聯系：或爲親戚，或爲朋友，或爲鄉鄰，或爲熟人。消息傳來，不待吩咐，各營各哨便自動地焚紙燃香，掛起招魂幡，軍營上下，蒙著一片陰霾。一連幾天，曾國藩看到這種情景，心裏難受至極。他想到此刻的湘鄉縣，不知有多少人家正在舉辦喪儀，有多少寡婦孤兒在哀哀欲絕。湘鄉縣的悲痛，將十倍百倍地超過建昌軍營。湘勇的元氣如何恢復？進軍皖中的用兵方略改不改變？曾國藩陷於極度的痛苦之中。幾天後，他從痛苦中清醒過來。「好漢打掉牙和血吞」，重振軍威，報仇雪恨，才是大丈夫之所爲。他甚至還懷著一線希望，李續賓、曾國華也可能死裏逃生了，說不定哪天會突然出現在他的面前，那時再把皖中的事交給他們。他相信，受此大挫後，李續賓和曾國華會更加成熟。曾國藩想通後，下令軍營中所有招魂幟一律燒掉，不准再談三河失敗的事，一切都按原計劃去做。

十天過後，派到三河陣地上查訪屍體的勇丁回來報告，李續賓的遺體已找到，將由安徽巡撫翁同書出面隆重禮葬，曾國華的遺體一直未見。陣地上的無頭屍身成百上千，估計曾國華是被砍頭致死。又過了十多天，武昌、湘鄉、長沙、壽州，各處信件先後來到，均未見曾國華的蹤跡，曾國藩認定六弟已死無疑。

這一天，他鄭重其事地給朝廷上摺，詳奏曾國華自咸豐四年帶勇以來所立下的樁樁功勞，以及這次殉國的悲壯。拜摺之後，又給在家的四弟、滿弟寫了一封信，要他們安慰叔父及溫甫妻妾；並再三指出，這種時候，全家務必要比往日更和睦親熱，又檢討自己在家時脾氣不好，兄弟不和，今後要引以爲戒。又叫他們去查看父母墳塋，是不是被人挖動了，洩漏了氣運。半個月後，朝廷發來上諭，追贈候選同知曾國華爲道員，從優議恤，加恩賞給其父曾驥雲從二品封典，咸豐帝還親書「一門忠義」四字，以示格外褒獎。

曾國藩接到這道上諭，甚感寬慰，立即派專人將皇上御筆送回荷葉塘，要家中把「一門忠義」四字製成金匾，高懸在黃金堂上，以此曠代之榮上慰父母在天之靈，下勵兒孫忠君之心。至於賞給叔父從二品封典一事，卻把曾國藩弄得哭笑不得。早在道光三十年，曾國藩在侍郎任內曾邀賜封叔父從一品封典，不想八年後反倒來個從二品封典。曾國藩心中暗暗埋怨禮部官員糊塗馬虎，連隨手查查的事都懶得一爲，現在弄得他左右爲難，受亦不是，不受亦不是。曾國藩爲此很費了一番思考。他在仔細斟酌之後，給皇上上了一道謝恩摺，先將歷次封典之事的過程敍說一通，然後寫上：「誥軸則祇領新綸，謹拜此日九重之命；頂戴則仍從舊秩，不忘昔年兩次之恩。惟是降挹稠迭，報稱尤難。臣惟有竭盡愚忠，代臣弟彌未竟之憾，代臣叔抒向日之忱，以期仰答高厚於萬一。」

不久，滿弟國葆受叔父之命來到建昌，代兄帶勇。曾國藩著實勉勵一番，撥五百勇丁讓他統領，又給他改名貞干，字子恒，意爲汲取靖港之敗的教訓，爲人辦事，忠貞有恒。

這天半夜，曾國藩在燈下再次修改近日寫成的《母弟溫甫哀詞》。他哀憫六弟滿腹才華，却功名不遂，正要憑借軍功出人頭地之時，却又兵敗身死，眞可謂命運乖舛。又憐憫風燭殘年的叔父。叔父因無子才過繼六弟，誰料繼子又不得永年，老而喪子，是人生的大不幸；繼而又憐憫已成孤兒的侄子。小小年紀，便從此永遠失去了父親，心靈要承受多大的痛苦！作爲大伯，曾國藩決定，今後將由自己承擔起對這個侄子的撫養教育之責，讓他如同紀澤、紀鴻一樣地得到慈愛溫暖，長大成人，繼承叔父一房的香火。曾國藩就這樣邊想邊改，時常停筆凝思，望著跳躍著的燭火出神。

「大哥，快開門！」急促的聲音，驚得曾國藩回過神來。這是貞干在外面喊。

曾國藩打開門，貞干急忙閃進屋，身後還跟了一個人。

「大哥，你看誰來了？」曾國葆有意輕聲地說，但語氣中的興奮之情顯然壓抑不住。

昏暗的燭光中，曾國藩見來人衣衫破損、面容憔悴。看著看著，他不覺驚呆了；這不是自己刻骨思念的六弟溫甫嗎？他不敢相信，溫甫失踪一個多月了，賓字營、華字營全軍覆沒，統領李續賓已死，高級將領無一人生還，全軍副統領、華字營營官今夜怎麼可能出現在這裏？曾國藩拿起蠟燭，走到那人身邊。他把燭火舉高，照著那人的面孔，仔仔細細地審看著。不錯，這人的確是他的胞弟曾國華！

「你是溫甫？」盡管這樣，他仍帶著懷疑的口氣問。

「大哥，是我呀！」曾國華見大哥終於認出了他，不禁悲喜交集，雙手抱著大哥的肩膀，眼淚大把大把地流了下來。

千眞萬確是自己的親兄弟活生生地站在面前，一刹那間，曾國藩心裏充滿著巨大的喜悅：六弟沒有死！叔父抹去了喪子之痛，侄兒免去了孤兒之悲，這眞是曾氏一門中的大喜大慶！

「快坐，快坐下，溫甫，你受苦了。」

曾國藩雙手扶著弟弟坐下，兩眼濕潤潤的。死裏逃生的曾國華見大哥這種手足眞情，心裏感動極了：「大哥，這一個多月來，我想死了你和老滿！」

「我們也很想念你！」曾國藩眞誠地說，並親手給弟弟端來一杯熱茶，又轉臉問滿弟，「貞干，你是在哪裏找到溫甫的？」

曾國葆高興地回答：「今日黃昏時，我從鎭上回營，路過一座作廢的磚窖，忽然聽見有人輕輕地叫我的名字。進去一看，原來是六哥在那裏。我又驚又喜。六哥當即要我帶他來見大哥，我說現在不能去，半夜時我再帶你去。」

「做得對。」對滿弟的老成，曾國藩甚是滿意，他轉問六弟，「溫甫，三河之戰已經一個多月了，你爲何這時才露面，害得全家著急，都以爲你死了。你這一個多月來在哪些地方？」

「那天半夜，大霧彌漫，長毛前來竊營，我寡不敵衆，正擬自裁殉國，突然被一長毛從背後打掉手中的刀，給他們捉住了。」曾國華不敢講出在寡婦家被抓的眞相，編造了這套謊言。「長毛不知我的身分，把我關進一家農戶的廚房裏，又去忙著抓別的人，不再管我了。我靠著磨盤上下用力擦，將繩子擦斷，偸偸地逃了出來。沿途打聽到大哥在江西建昌府，就徑直向這裏奔來，途中又不幸病倒。就這樣邊走邊停，捱過了一個多月。」這幾句話倒是實情。他說罷，將一杯茶一飮而盡，那樣子，的確是病羸飢渴。曾國藩聽完六弟的敍說，心中淒然。

「溫甫，你們爲什麼要去打廬州？我是要你們與春霆一起去圍安慶。」給六弟添了一杯茶後

「大哥，這是我的失策，迪庵也是主張南下圍安慶的，我想打下廬州後再南下。」溫甫並不掩飾自己的過錯，使曾國藩感到六弟的坦誠。

「打三河一事，軍中有人提出不同看法嗎？」一向留心人才的曾國藩，想以此來發現有眞知灼見的人才。

「軍中沒有誰提過，倒是有一個來三河作客的讀書人闖營進諫，說不能打三河，要轉而打廬江。」

「這人叫什麼名字？」曾國藩帶有幾分驚喜地問。

「此人自稱趙烈文，字惠甫，江蘇陽湖人，寓居全椒，年紀不大，二三十歲。」

「難得，難得。」曾國藩輕輕地拍打著桌面，感慨地說，說得曾國華臉紅起來，大聲叫著：「大哥，你讓我回湘鄉去招募五千勇丁吧，我曾國華若不報此仇，枉爲世間一男子！」

「小聲點！」曾國藩如同被嚇了一跳似的，忙揮手制止。六弟這一句氣概雄壯的話，不僅沒有引來大哥的讚賞，反而使得見面時的濃烈親情消失殆盡，代之而起的是滿腔的惱怒：正是因爲違背了原定的打仗方案，才招致這一場空前的慘敗。精銳被消滅，進軍皖中的大計徹底破產，前途困難重重，作爲全軍的統帥，他所承受的壓力有多巨大呀！他眞想把六弟大罵一頓，甚至抽他兩耳光，以發洩心頭的這股鬱悶之氣。但他沒有這樣，只是呆滯地望著溫甫，也不做聲。曾國華見大哥對他的話沒有反應，又再說了一遍：「大哥，過幾天我就回湘鄉招勇如何？」

「溫甫，你太不爭氣了！」望了很久之後，曾國藩終於忍不住慢慢地吐出一句話。

「大哥，我對不起你，對不起迪庵和死去的兄弟們，我有罪，罪孽深重。我要重上戰場，殺賊贖罪呀！」曾國華從心底裏發出自己的呼喊。他深知自己的過失太大了，大哥的這句輕輕的責備，不足以懲罰，他倒是希望被狠狠地杖責一百棍。

「唉！」曾國藩長長地嘆了一口氣，六弟的痛悔沖淡了他心中的怨怒，一股憐憫之情油然而生。眼下的處境，溫甫自己是一點不明白呀！他能出現在大家面前嗎？全軍覆沒，唯獨自己的弟弟、負有直接責任的副統領生還，曾國藩怎麼向世人交代？怎麼向皇上交代？沒有溫甫的陣亡，哪來的「一門忠義」褒獎！溫甫雖破壞了進軍皖中的大計，却又爲曾氏家族掙來了天家的曠世隆恩。帶兵打仗的曾國藩，是多麼需要這種抵禦來自各方猜忌的榮耀身分啊！它的作用，要遠遠超過溫甫再募的五千湘勇！如何處置這個意外生還的弟弟呢？既要不負聖恩，又要讓他繼續活在世界上，曾國藩的腦子在苦苦地盤算著。

見大哥久久不語，曾國葆勸六哥：「莫這樣急，你現在身體很差，無法帶兵，回家休息兩三個月後再說。」

「不！」曾國華驀地站起來，堅決地再次請纓，「大哥，你就答應我吧！」

曾國藩苦笑了一下，將桌上那頁《母弟溫甫哀詞》文稿拿起，遞給曾國華說：「溫甫，可惜你早在一個多月前便死在三河了。」

曾國華接過哀詞，看了一眼，一把扯碎，笑著說：「那是訛傳，我不是好好地在這裏嗎？」

「不，你早死了。」曾國藩重複了一句。看著大哥那張變得嚴峻冷酷的臉孔，分明不是在說笑話，曾國華頓時心涼起來，冒出一股莫名的恐懼。

「大哥，你爲何要說這話呢？我沒有死，沒有死呀！」曾國華淒慘地喊起來。

「不要喊！」曾國藩威嚴地止住，口氣中明顯地含著鄙夷，曾國華立時閉了嘴。

「哀詞你可以撕掉，皇上的諭旨你能撕掉嗎？」曾國藩從櫃子裏將內閣轉抄的上諭找出來。

曾國華一看，臉刷地白了。

「三河戰敗之後，迪庵的遺體很快找到，我等你等了二十多天，一直沒有消息，派人查訪也未找到，只能斷定你已死。全軍覆沒，你身爲迪庵的副手，也只有戰死沙場，才能說得過去。

我因此上奏皇上，說你已壯烈殉國。」曾國藩緩慢而沉重地說著。曾國華看得出，大哥在壓抑著心中的巨大痛苦，聽到最後一句話，他渾身起了鷄皮疙瘩。大哥繼續說：「天恩格外褒獎，從優議恤，不僅追贈你爲道員，還賞叔父從二品封典。我日前已申明，叔父大人早蒙賞從一品，請求加恩紀壽及歲引見，想必會蒙俯允。尤其是因你之殉國，皇上御筆親書「一門忠義」四字，我已命家裏製匾懸掛黃金堂上。這是曠世殊榮，足使我曾氏門第大放光輝。你現在要生還回家，我將如何向皇上交代，我們曾氏一家如何向皇上交代？」

「請大哥再向皇上拜摺，敍說我生還緣由，請收回一切賞賜，行嗎？」曾國華試探著問。

「你說得好輕巧！」曾國藩瞟了六弟一眼，不悅地說，「欺君之罪，誰受得了？」

「這不是有意的。」曾國華分辯。

「縱然不是有意的，但天下人都知道你曾國華是殺身成仁的偉男子，皇上是優待功臣的仁義之君。現在又上摺說你未死，豈不貽笑天下！此舉將置皇上於何地？」稍停一下，曾國藩沉痛地說，「溫甫，當『一門忠義』的金匾從黃金堂取下時，你想想看，那會使我曾氏家族蒙受多大的恥辱！」

曾國華又起一陣冷顫，他完全沒有想到，事情竟有這般嚴重。沉吟良久。他問大哥：「如此說來，我今生已不能再帶勇殺賊，報仇雪恨，顯親揚名了？」

「不能了。」曾國藩輕輕地答。

「好吧！」曾國華下了最大的決心，「我明日就布衣回荷葉塘，躬耕田畝，課子讀書，了此一生。」

「荷葉塘你也不能回。」

「這是為何？」曾國華害怕起來，難道當一個廝守妻妾兒女的普通老百姓也不成？他簡直不能理解。

「哎，溫甫，你今年三十六歲了，怎麼還這樣不曉事？」曾國藩皺著眉頭說，「三河戰敗，湘鄉縣幾乎是家家喪親，戶戶招魂，他們明裏不說，心底裏誰不把迪庵和你恨得要死。總是你們無能，才招致他們失去親人。你若跟著他們一起戰死，我曾氏全家尚能略感心安。你現在又未死回家，你有何面目見家鄉父老？且我湘勇歷來最恨從敵營中逃回來的人，你說是自己逃回來的，誰為你作證？鄉親們會說你害得兄弟們死去，自己又投敵乞命。到那時，千夫所指，只怕你曾溫甫會無病而亡吧！」

貞千本想替六哥說幾句，聽了大哥這番話，嚇得不敢再開口。

「帶勇不行，回家不行，難道我眞的要去死嗎？」兄弟三人相對無言默坐良久，曾國華絕望地吐出一句話。

「溫甫，你想到哪裏去了。」曾國藩起身，走到六弟身旁，溫存地拍著六弟的肩膀，細聲說，「你是我的親兄弟，大哥怎麼會叫你去死。大哥爲你想了一條生路，不知你情願否？」

「請大哥明示。」曾國華已完全無主見了，唯有仰仗大哥。

「陳廣敷先生，你還記得嗎？」

曾國華點點頭。

「前幾個月，他來到蔣市街與我會晤，告訴我離開湘鄉後，就回廬山黃葉觀隱居。你去投奔他，拜他爲師，後半生你就在黃葉觀作一道人。陳先生是一個超脫塵世的人，你可以把事情的原委都說給他聽，他不會怪你的，也不會張揚出去。你看如何？」

曾國華禁不住一陣顫抖，眼淚唰唰地流了下來。這個功名心極重，人世欲望極濃的曾六爺，聽說後半生將要與黃卷青燈爲伴，與古木山猿爲友，心如刀絞，但反覆想想，覺得現在已無路可走，只得勉强答應：「大哥，你讓我悄悄回一趟荷葉塘，見見叔父大人和壽兒再去吧！」

「溫甫，休怪大哥不通情理，你委實回不得家，趁著天黑趕快離開此地，不要讓人看見了。

過段時間，我要貞干回家一趟，將實情告訴叔父大人，再安排他們去黃葉觀與你相會。平定長毛以後，大哥再到黃葉觀去看你。」曾國藩說著說著，不覺流下淚來。國華抱著大哥淚如雨下，貞干也在一旁抽泣。

曾國藩吩咐貞干不要驚醒廚子，悄悄地盛些冷飯給國華吃了，又收拾幾件衣服，拿出一百兩銀子來給他。然後，雙手抱著六弟的肩膀，嗓音哽咽，好一陣才說出四個字：「兄弟珍重！」

國華說不出話來，只能點點頭，戀戀不捨地離開了軍營。

待六弟走後，曾國藩又關起門來，與滿弟密談了很久。第二天，貞干親自去三河戰場尋找六哥遺骸。二十多天後回來了，後面還跟著一具棺木。一到軍營門口，貞干便放聲大哭起來，引得勇丁們紛紛出來觀看。貞干走進屋，哭倒在大哥面前，高叫：「大哥，六哥的忠骸找回來了，可惜沒有了頭！」

「你是怎麼找到的？不會認錯吧！」曾國藩驚訝地問。

「哪裏會錯！莫說四肢還在，就是燒成灰，我也認得出。」

曾國藩撫棺痛哭，一邊叫人打開蓋板。曾國藩見躺在棺材裏的那人除無頭外，四肢都尚完好。他拉開死者的左褲脚，看到一道三寸長的疤痕後，立即喊起來：「溫甫，你到底回來了，大哥找你找得好苦呀！」

說罷，又大哭起來。哭了一陣後，他對四周圍觀的人說：「溫甫八歲那年，爬上塘邊一棵桃樹上摘桃子吃，我怕他摔到塘裏去，便高聲喝罵他。他嚇得趕緊從樹上跳下來，腿不愼被樹枝劃破了。一直爛了兩個月才好，從此便落下了這個疤。近三十年來，我一直爲此事抱疚。」說著說著，又對死者高喊：「溫甫，我的好兄弟，你爲國捐軀，死得英勇。大哥爲你傷心，大哥也爲你榮耀呀！」

曾國藩越哭越厲害，引得圍觀者嗟嘆不已，在楊國棟、彭壽頤等人竭力勸說下，好不容易才止住。

夜裏，曾國藩爲溫甫設了一個簡樸的靈堂。湘勇將領們絡繹不絕地前來吊唁，曾國藩對著溫甫的神主誦讀了哀詞。並從第二天起，爲六弟吃七天齋。到了第八天淸晨，貞干帶著二十多個勇丁，護送溫甫靈柩回湘鄉，曾國藩親自送到盱江碼頭。

八　李鴻章給恩師獻上皖省八府五州詳圖

正當建昌軍營因三河之變而士氣沮喪的時候，圍攻兩年多的吉安城，終於被曾國荃的吉字營攻克。接著，鮑超趁陳玉成部返回天京附近、李秀成部再度經營蘇南的時機，在皖南連打幾次勝仗，站穩了脚跟。緊接著，李元度部又挫敗從福建過來的太平軍。這些勝利，使士氣重新振作起來。曾國藩從吉安之勝中，看出了九弟倔强不屈的性格和帶勇打仗的才能，認定他是個可當大任的人物。恰好康福這時又從老家跋山涉水來到了建昌。去年，曾國藩回籍不久，康福也請假回沅江去了。曾國藩賞給他的三百畝水田，王矮爹替他經營得興旺。一到家，王矮爹又爲他張羅著娶了一房妻子。康福將田產分爲兩半。一半歸於弟弟康祿的名下。康福不願意作個財主終老，他要建功立業，光耀康氏先祖，接到曾國藩的信後，便匆匆趕來了。曾國藩派他前往吉安，代他獎賞吉字營。國荃將吉字營安置後，便和康福一同來到建昌。

曾國荃送給大哥的戰利品是一部《歐陽文忠公文集》。曾國藩輕輕地翻著這部已發黃發黑的文集，驚喜地問：「這是南宋慶元年間刻的，是歐陽子文集的最早刻本，你是怎麼得來的？」

「吉安是歐陽修的故鄉，大哥不是要我留意他的遺墨嗎？」曾國荃得意地說，「打下吉安後，我也不管是不是歐陽修的後人，凡姓歐陽的，我統統把他抓了起來，要他們交出遺墨來，否則殺頭。」

「你怎麼能這樣做？」曾國藩沒有想到九弟用這種手段來搜集遺墨，倘若歐陽修九泉有知，豈不憤怒至極！

「不這樣做，怎麼可能得到它？」曾國荃指了指大哥手中的文集，「這樣，幾百個姓歐陽的互相商議，逼得那些歐陽修的後人無法，實在找不出遺墨，便以這部供在祠堂裏的宋本來充數。」

「沅甫，你給我送回吉安去！」曾國藩生氣了，板著面孔命令弟弟。

「大哥，這樣的珍本到哪裏去找？你若過意不去，我給他們三百兩銀子算了。」曾國荃不服氣。

「九弟！」曾國藩嚴肅地說，「咸豐三年練勇之初，我便對你們說過，長毛毀孔孟、焚書籍，得罪了天下讀書人。我們就是要抓住這一點，把讀書人爭取過來。在《討粵匪檄》中，我將維護中國數千年的禮義人倫、詩書典籍昭告天下，也是爲了得讀書人的心。這些年來朝廷失政，老百姓易被長毛籠絡，只有讀書人才是我們依靠的力量。你以殺頭的手法，逼一代文宗的後人交出他們的傳族之寶，此事傳揚出去，豈不冷了天下讀書人的心？九弟，你要明白此中的利害！」

大哥的話有理，曾國荃不作聲了。曾國藩把文集仔仔細細翻了一遍，遞了回去，曾國荃默默地收下。

「沅甫，乘這次攻破吉安的好機會，你回家去一次，招募幾千人，將吉字營擴大到一萬人。

看來，溫甫收復皖中的未竟事業，要由你來擔負了。」

大哥的話太合國荃的心意了。這次在吉安得的大量金銀，正要運回家去買田起屋，爲今後自立門戶作準備，至於募勇擴營，更是他多年的心願。

「大哥，無論爲國爲家，我都要和長毛血戰到底！」曾國荃慷慨激昂地表示。在建昌小住幾天後，便匆匆回荷葉塘去了。

不久，石達開率部離開福建、經江西、湖南向西開撥。朝廷分析石達開有可能入四川，急調曾國藩入川剿堵。一旦入川，則遠離江寧，今後只能眼睜睜地看著別人拿下它。這是曾國藩極不情願的事。他上奏皇上，請求讓他進兵皖中，爲三河之役報仇。奏摺剛拜發，荊七送來一封信。原來，這信是李鴻章從五里外的縣城裏，托人捎來的。信上說，咸豐二年六月與恩師在京分別後，第二年正月，便隨同工部侍郎呂賢基回籍辦團練，與長毛、捻子作戰。這些年來，巡撫福濟不明事理，欽差大臣勝保多方猜忌排擠，在安徽很不得意，欲投奔恩師，不知肯收留否？

曾國藩覽畢微微一笑，對於這個人，他是再了解不過了。

道光二十五年，李鴻章遵父命晋京，投奔曾國藩門下，拜他爲師。曾國藩見李鴻章長得身材修長，五官俊美，言談文雅，舉止倜儻，心中甚是高興，而且李鴻章有人所不及的乖覺，過目不忘的記性，深爲曾國藩所賞識。道光二十七年，李鴻章與郭嵩燾一起中進士，入詞館，時年二十五歲。眞個是少年高第，春風得意。曾國藩將他、郭嵩燾及同年入翰苑的陳鼐、帥選視爲丁未年四君子。但李鴻章心氣高傲，性格疏懶，爲人不夠實在，細節上不大檢點，這些方面，與曾國藩脾性不合。李文安曾給曾國藩講過他兒子小時候的一個故事：

李家以前養過一缸好金魚。李文安一日偶與家人戲言，如今年金魚產子多，則門徒中進學的多。後果然這一年產子很多，李文安扳著指頭，數著這個可進學，那個可進學，又說長子瀚章今年也可進學。第二天，一缸金魚全部死盡。文安奇怪，問家人，鴻章坦然承認。文安問何以害魚。鴻章說：這麼多人進學，唯獨我不進，此魚不可留。文安笑道，你今年只有十一歲，怎麼進學？鴻章不語。李文安從這件事上，知兒子雖心高志大，但胸襟未免太狹窄，手段也太刻毒了。

這幾年李鴻章在安徽打勝仗少，打敗仗多，曾國藩也知道些。他甚至還聽到過有人以「翰林變綠林」的刻薄話來挖苦李鴻章。曾國藩將來信鎖進櫃子，既不復函也不派人傳話，他有意要挫挫這個高足的鋒芒。

十天過去了，沒有動靜，曾國藩派人悄悄地到建昌旅館查看。回報說，李鴻章在旅館讀書寫字。又過十天，曾國藩再派人去窺視李鴻章。回報說，李鴻章仍在讀書寫字，並無回安徽的表示。當天，曾國藩傳令請李鴻章來軍營相見。

李鴻章一進軍營，便急趨向前，走到曾國藩身邊，行門生叩拜大禮。曾國藩凝然端坐，並不起身。待李鴻章行完禮，才招呼他坐下。六年多不見了，李鴻章已步入中年，戰火奔波，使他面色黧黑，而腰板却顯得比過去在書齋時硬朗多了。近來常感右目癢痛、精力不支的曾國藩，看到眼前這個踔厲風發的門生，又是喜歡，又是羨慕。

「少荃，這些年來你幹了不少大事，人也發福了，官也做大了，現在是道員銜，還是按察使銜？」曾國藩充當過多次鄉試主考和會試閱卷大臣，且詩文爲一時之冠，故而門生甚多，但眞正經他指敎過的受業生，僅李鴻章一人。對李鴻章，他有一種父兄對子弟的情感。早就盼望李鴻章來了，但直到在安徽混不下去了才來投靠，曾國藩心裏不太滿意，二十天不理不問，也含有這層原因。

「恩師取笑了！門生早就想投奔恩師帳下，並托家兄轉達過此意，怎奈福中丞執意挽留。福中丞是門生的座師，門生亦不好強違。這次我不管他肯不肯，下決心離開了他，追隨恩師左右。門生雖蒙聖恩賞加按察使銜，但在恩師面前，門生永遠只是個小學生。」
李鴻章的話提醒了曾國藩。的確，李瀚章曾跟他說起過老二要投奔的事，且二十天未見，李鴻章不以冷落為意，仍這樣謙恭有禮，恍如十多年前碾兒胡同里的恂恂學子。曾國藩心中的一絲不快消失了。
「少荃，此間局面狹窄，恐艨艟巨艦，非潺潺淺瀨所能容。你既與勝保不和，何不回翰林院供職去？」曾國藩望著李鴻章笑著，三角眼裏射出的是慈愛的光芒。
「恩師，」李鴻章認眞地說，「你老從來教導門生，男兒立身，不在高官厚祿，更不應貪圖個人享受，當為君分憂，為國出力。目前逆賊肆虐，四海鼎沸，門生豈能違背恩師教導，視國難民危不顧，而回翰苑享清福呢？」
眞是本性難移。多年的挫折，並沒有打磨掉他的棱角，說起話來，仍是這般大言革革，但曾國藩喜歡聽。他心裏暗暗讚許，臉上却無特別的表示。
「這幾年，門生在家鄉東撞西突，前後追隨過呂侍郎、福中丞，均茫然無指歸；現在又遇了個勝保，心中無點滴才學，偏又目空一切，視漢員如同仇人一般。門生冷眼觀察過許久，無論福中丞，還是何制台，以及和春、張國梁，都不是勘亂之才，更不要說勝保之流了。東南半壁濁浪滔天，眞正的中流砥柱，實只恩師一人，萬望恩師收留門生，日後也好附恩師驥尾光宗耀祖，這也是家父臨終時的遺言。」李鴻章說到這裏頗爲動情。

「少荃，你來我這裏，是想自己帶勇，還是作參贊？」曾國藩不再盤馬彎弓了，直接問。

「門生雖出身詞臣，但這幾年也曾幾十次親歷沙場，略懂一點打仗的道理，門生想在恩師帳下作一名偏俾將佐。」李鴻章答得也直截了當。

「哦，你想帶勇，那好哇！」曾國藩邊說邊思考，略停一會說，「不過，我身邊暫缺一個辦文書的人，先委屈你幫幫忙，掌幾天書記文案如何？」

在曾國藩看來，安徽的團練辦得一團糟，李鴻章的那一套根本就不能帶到湘勇中來，必須先在他的身邊跟著學習一段時期再說。

「好！門生正要跟著恩師學習起草奏摺哩！」絕頂聰明的李鴻章將失望藏起，裝出一副滿心喜悅的樣子，「家兄曾跟我說過，筠仙有次起草奏摺，中有「屢戰屢敗」四字。恩師看後，將「戰」「敗」二字互換位置，變爲「屢敗屢戰」。家兄對此佩服得五體投地，說位置一換，滿篇精神大變。門生在安徽時，聽福中丞說，恩師奏摺，當今無雙。門生過去跟恩師學古文時不用心，現在要補上這一課。」

李鴻章此時提起這件往事，眞是恰到好處。曾國藩開心地笑笑說：「好吧，你今天回旅館去結帳，明日一早到軍營來。」

幾天下來，李鴻章在建昌軍營辦事順利。他留心觀察幕府一切事務，覺得也並沒有什麼與衆不同之處，從書啓到贊畫都可勝任，惟一難以適應的，便是天未明就吃早飯這件事。湘勇規矩，天未明就得吃罷早飯，有仗打仗，無仗操練，不容許睡懶覺。幕府跟軍營一樣。曾國藩自己以身作則，每天和幕僚們一起吃早飯。吃飯時，他說古論今，談笑風生。飯桌上，他不再是一個嚴厲的統帥，而是幕僚們極隨和的朋友。李鴻章却有睡懶覺的習慣。平素在家鄉，他要團勇們清早起床操練，自己則總是日上三竿才大夢初醒。

這幾天凌晨，天還是漆黑漆黑的，軍營便放炮吃飯了。一會兒，親兵便來敲門叫起床，李鴻章正睡得香甜，哪裏願意出被窩！他藉故不起。一連三天，曾國藩看在眼裏不作聲。第四天天未亮，親兵又來敲門了。李鴻章煩躁地喊：「我病了，不吃飯！」

過一會，一幕僚來敲，李鴻章仍不起。又過一會，康福來了：「李翰林，請起床吃早飯！」

「告訴你們我病了，爲什麼三番兩次總來喊？」

「曾大人說，有病也得起來，大家等你去後再用餐。」

李鴻章一聽，心裏發毛了，趕緊披衣，跟跟蹌蹌地奔進餐廳。曾國藩瞟了李鴻章一眼，端起碗吃飯，幕僚們跟著端起碗來。曾國藩面色峻厲，一言不發。吃完飯後，他放下碗筷，一字一句地說：「少荃，既到我這裏來，就要遵守我的規矩。此間所尚的，惟一誠字而已！」說罷，起身走出餐廳，看也不看李鴻章一眼。李鴻章驚呆在板凳上，半天作不得聲。

從那天起，李鴻章一改過去驕懶的文人習氣，虛心學習周圍的一切，這才發覺恩師所帶的湘勇，與自己過去所帶的團練確有許多不同之處，愈加從心裏佩服。這天晚上，他對曾國藩說：「門生這次給恩師帶來了一件小小的東西。」

說罷從布包裏拿出一卷紙來，曾國藩認得這是大內珍藏的特製棉紙。

「恩師請看。」李鴻章微笑著展開，竟是一幅皖省全圖。曾國藩撥亮燈，仔細查看。圖上畫著安徽全省大的山川和府縣界線，都標有名字。圖下邊還註明圖與實地的比例關係。圖雖畫得精工，但並無特別之處。這樣的地圖，曾國藩手頭有，他微笑著沒有作聲。

「恩師，這是幾幅安徽分府地圖，請你老過目。」李鴻章又從布包裏拿出一卷紙，打開第一張，圖上方標明「鳳陽府」三字。只見這張地圖大異剛才那一張，圖上密密麻麻地標著山名、水名、縣名、鎮名，甚至較大的村莊名、神廟名都寫上了。曾國藩心裏吃了一驚：「少荃，廬州府的詳圖有嗎？」

「有。八府五州都有。」李鴻章不慌不忙地找出了廬州府地圖。

曾國藩接過地圖，急忙打開，右手食指在圖上快速地移動，嘴裏不停地說：「三河，三河在哪裏？」

「在這裏。」李鴻章一下子就點出了三河鎮。

曾國藩兩眼死死地盯住三河。圖上明明白白地標出了三河鎮四周的形勢地名：鎮建在馬柵河與界河的交滙處，巢湖在東邊，只有四十五里遠，西邊是金牛嶺，東邊是白石山，一條大道貫穿金牛鎮直達三河鎮。這樣詳盡的分府地圖，曾國藩還是第一次見到。看著看著，他慢慢地兩眼潮潤，嗓門嘶啞：「少荃，早幾個月看到你這張圖，迪庵、溫甫和七千湘勇也不至於遭厄難。」

曾國藩將其他府州的地圖略微翻了翻，都像鳳陽、廬州一樣，山川城鎮，一一標列得清清楚楚。這是他多年來夢寐以求的地圖啊，想不到今天居然由李鴻章送上門來了。看著這幾張地圖，曾國藩彷彿看到了湘勇的戰旗正插在一個個城池上，收復皖省、攻克安慶已有了可靠的保證。他眞想站起來，緊緊地拉著李鴻章的手，大聲地說：「少荃，你這個禮物太好了，我收下！」但他很快地控制了自己的感情。李鴻章畢竟是他的晚輩門生，在晚輩門生面前怎能失態！他以慣常的神情說：「少荃，你來我這裏好些天了，怎麼今天才把皖省地圖拿出來，你對我還留一手嗎？」

「哪裏，哪裏！」李鴻章已知這幾張地圖在曾國藩眼中的分量，興奮地說，「門生巴不得把一切都貢獻給恩師，哪有留一手之理，前幾天之所以沒有拿出來，是怕獻醜。這兩天我見恩師這裏用的仍是乾隆內府圖，故才敢奉獻。」

曾國藩心想：畢竟長了幾歲年紀，比以往穩重多了。他慢慢地疏理著已見花白的長鬚，說：「地圖莫精於康熙內府圖，其准望勾弦，皆命星官親至各處，按諸天度測量里差。乾隆內府圖又拓而大之，亦甚精當，蓋出齊次鳳宗伯之手。近時陽湖董方正孝廉依此二圖訂正差誤，合爲一本，李申耆先生付諸剞劂，據說是現在最精確的地圖。我已托人去重金購買，至今未得到。這批皖省分府地圖確比乾隆內府圖精細多了，你是怎樣得來的？」

「恩師。」李鴻章欠身答道，「咸豐三年初，我隨呂侍郎在家鄉辦團練，幾仗打下來，吃了不少苦頭。這些苦頭，大部分來自對地形不熟悉。有一次，我與長毛打仗，打敗了，想找條路逃都找不到，結果幾十個弟兄送了命，我幸而躲在草叢中才免於死。長毛走後，我問當地百姓。

他們告訴我，穿過松樹林後就是一條大路，路口左右是兩座小石山，是天然的堡壘，只要百把個弓箭手埋伏在石山上，就是一千人也都會死在那裏。我聽後半晌作不得聲，倘若早點知道此處地形，不僅那幾十個弟兄不會死，說不定還可反敗爲勝。我於是下定決心要繪製一套詳細地圖，遠勝朝廷頒發的乾隆內府圖。我從團練中抽出幾十個知書識字、頭腦靈活，辦事可靠的人，派他們到各府去實地調查，足足用了十個月時間，終於繪製了這十四幅地圖。」

「少荃，你做了一件頂好的事，假若東南八省都有這樣的分府圖，我們就可以立於不敗之地了。」

「恩師過獎了。這地圖雖較細，但打起仗來，還是嫌簡略了，如果再詳細到每個小山丘、每條小溪港、每個小村莊都有的話，那就好了。」

「好哇，待平定長毛後，你就去做這件事吧！全國十八省，省省都繪製，那眞是一樁惠澤子孫的大好事。」

「太好了，那時在恩師指導下，我一定會幹得比現在的好得多。」李鴻章高興地說。

「少荃，你把地圖送給我，你自己不就沒有了嗎？」

「有，我還有一份，照這份原樣影繪的。我那時想，萬一一份丟了或損壞了，還可以有一個底子再補繪。」

「是比先前長進多了。」曾國藩心想。過會兒，他對李鴻章說：「少荃，我即將率師入川，遠離你的家鄉，你要不要先回家去安頓一下，我們再在蕪湖碼頭相會。」

「不用了，門生來建昌之前，家事已作了安排。」李鴻章說，「不過，門生斗膽向恩師進一言，四川不可去，也不必去。」

「這話如何講？」曾國藩靠在椅背上，習慣性地抬起右手，慢慢地梳理著鬍鬚。這神情，顯然是要李鴻章說下去。

「今夜只恩師與門生兩人，門生就直言吧！」李鴻章略爲停頓了一下，說出他在建昌旅館裏的一番深遠思慮來，「咸豐三年正月，江寧陷落，東南半壁冒出了一個與朝廷敵對的叛逆國號，其勢力尤强在蘇南、皖中、江西三個地方。自咸豐六年逆賊內訌後，江西已漸爲恩師統率的湘勇光復，逆賊勢力只有蘇南、皖中兩處。依門生愚見，與長毛決戰的主要戰場也只有這兩處。長毛氣焰，乃順江由西而東，江寧之西，爲長毛後方所在，江寧之東，不過長毛之門面而已。數年前，恩師已洞悉此中機要，由武昌而黃州，由黃州而武穴，由武穴而九江，由九江而湖口，步步進逼，節節獲勝。門生在安徽細細觀看思考，見長江兩岸，恩師每復一城池，長毛氣焰輒消一分，門生從心底裏佩服恩師高屋建瓴，深謀遠慮，其取勢百倍勝過江北江南大營。門生心裏早已明白，平巨憝，復江寧，非恩師莫屬。」

李鴻章越說越有勁，雙目晶亮，神采奕奕，令曾國藩暗爲驚詫：今日之李少荃，已非吳下舊阿蒙。他隨手拿起穆彰阿贈送的玉球，在手裏慢慢旋轉。此情此景，使他想起了二十年前與穆彰阿的一夕談話。薪盡火傳，這個才大心細、見識不凡的門生，不正是自己的傳人嗎？

「朝廷已對江寧逆賊散下了天羅地網，你何以知下江寧者非我莫屬。少荃呀，這等大事，可不許你信口開河。」曾國藩打斷李鴻章的話，「你說四川不可去，不能去，道理在哪裏呀？」

「是，門生說漏了嘴。」李鴻章素知老師行事謹愼，這層意思，點到即可，他馬上轉入正題，「門生說四川不可去，其原因也正是剛才所說的，恩師多年浴血奮戰，已將長毛逼在皖中、蘇南一隅之地，現在反而忽然掉頭入蜀，到千里之遙去堵流寇，將這伸手可摘之熟桃讓給別人，就是恩師不在乎，湘勇將官弟兄也不情願呀！就是門生在一旁，也爲恩師抱不平。」

曾國藩微微一笑，在心裏說：這個機靈的李老二，說話的本事是越來越高了，他的老子哥哥遠不及。

「況且川督王慶雲爲人器局狹小，很久以來就想當蜀王，他決不會願意恩師入川的。門生說四川不必去，是指石逆目前已成流寇，軍心不穩士氣不旺，此去四川，將很可能走向末路，四川兵力足可制服他，不必動用湘勇這把牛刀。門生以爲，恩師須立即向皇上陳明入川之非和入皖之要，同時亦請官帥、胡帥代爲說明不能離開東南的原因；官帥、胡帥要成功，也是離不開恩師的。爲使朝廷明白此中道理，恩師可命令目前在徽州、寧國的鮑超之部暫且撤離皖南。這樣，長毛一定會乘虛而入，翁中丞必定急奏朝廷，那時各方交章挽留，恩師將免去入川之勞。」

曾國藩不得不佩服這個比他小十二歲的門生的見識之明。在湘勇主要將領中，有彭玉麟的忠貞，有楊載福的樸直，有鮑超的勇猛，有李元度的策劃，有曾國荃的頑强，但無一人有李鴻章這樣洞察全局的清醒、機巧應變的手腕！人才難得呀！兩江一帶，歷來是人文薈萃之地，要留心訪尋延攬。想到這裏，曾國藩忽然記起溫甫講的趙烈文進諫的事。

「少荃，你是廬州人，全椒就在廬州旁邊，你有沒有聽說一個寓居全椒的陽湖秀才趙烈文？」

「恩師何以知道趙烈文？他是門生的好朋友。」

「那太好了！前次迪庵和溫甫誤攻三河，此人到軍營進諫，可惜他們未聽從，不然也不至於有三河之變。我看這是個有見識的人才。」

「趙烈文確是個非比一般的讀書人，他不樂學業，留心國事，潛研兵法，熟知輿地，尤工於謀畫，的確是個好的軍事參謀。」

「是呀，草茱之中，常有異才，日後到了你的家鄉，我一定親去拜訪他。」曾國藩邊說邊抽出日記簿來，記上：「趙烈文，字惠甫，陽湖人，寓居全椒，知輿地，工謀畫。少荃竭力推薦。」

「何勞恩師親去，我寫封信叫他來就行了。」

「不！還是我去見他爲好。」

師生二人在軍營一直談到次日鷄鳴方止。第二天，曾國藩修書給官文、胡林翼，請他們代爲向皇上說情。爲不使皇上不悅，曾國藩盡起在建昌的水陸兩支人馬，踏上赴川的道路。當曾國藩將到武昌時，接到了上諭。上諭命曾國藩暫駐湖北，與官、胡熟商進剿皖省之計，援川部隊從湖南選調。官文、胡林翼在武昌治酒爲曾國藩道喜。席上，官文提出派永州鎮總兵樊燮帶二千人入川，曾、胡一致同意。於是官文以制軍身分下令，調樊燮立即入川。誰知這一紙命令，倒惹出一樁轟動全國的大事來。

第二章　總督兩江

一　天下不可一日無湖南，湖南不可一日無左宗棠

永州鎮總兵樊燮接到命令後，興沖沖地帶著二千綠營啓程入川。樊燮爲官不清廉，仗著是官文五姨太娘家親戚有恃無恐。湖南巡撫衙門接到不少參劾信函，駱秉章不願得罪官文，壓著這些信不理睬，左宗棠礙著駱秉章的面子，也不便處理。

這一日，樊燮路過長沙，將兵士們安置在城外，自己帶著幾個親兵入城，徑直來到又一村巡撫衙門裏。巡捕見是樊鎮台，不敢怠慢，忙進內通報。駱秉章正與左宗棠在談論曾國藩駐兵湖北的事，聽到通報，連聲說：「有請，有請。」樊燮大步踏進簽押房，向駱秉章鞠躬請安：「卑職參見中丞大人。」

駱秉章忙站起，笑道：「樊鎮台免禮。」

樊燮正欲靠著駱秉章坐下，忽然見左宗棠板著面孔坐在對面，便走前一步說：「左師爺一向好。」

左宗棠看了樊燮一眼，冷冷地說：「樊將軍客氣了。」

樊燮心中不快，又開兩腿坐在駱秉章身邊。駱秉章打著哈哈說：「樊鎮台，這次官中堂親向

朝廷保舉你去四川剿賊，想鎮台一定會以頻頻捷報答謝皇上聖恩和官中堂的器重。」

「石逆孤軍遠竄，成不了氣候，樊某不敢誇口說一舉獲勝，但終究要剿滅那些亂臣賊子的。」樊燮不無得意地說，似乎有意讓左宗棠知道他的厲害。

「大將威風，果然令人敬畏，令人敬畏！」駱秉章仍然打著哈哈說。

「長毛不過跳樑小丑而已，算得了什麼？」

樊燮任永州鎮總兵不過一兩年，根本沒有跟太平軍交過手。前兩個月，石達開圍寶慶府，弄得長沙官場緊張得不得了。左宗棠親自指揮人馬，費了九牛二虎之力才勉强對付過去。聽了樊燮這種欺世大言，左宗棠如何能不動怒：「此話過頭了吧！朝廷調兵幾十萬，糜餉幾萬萬，至今尚未把長毛平定下去，且石達開乃賊中梟雄，曾滌生侍郎都數敗於其手，你說這話，不臉紅嗎？」

樊燮吹牛時不臉紅，聽了這句話，倒眞的臉紅了，他强壓怒火說：「左師爺，我也不和你打嘴皮仗，以後看吧！」

樊燮來巡撫衙門，本是一種官場應酬，見氣氛不好，起身朝駱秉章拱手道：「卑職告辭。」說罷轉頭便走，並不理睬左宗棠。左宗棠勃然大怒，喝道：「回來！」

「何事？」樊燮站住，氣憤地反問。

「樊燮，你進衙門不向我請安，出衙門不向我告辭，你太猖狂了。湖南武官，無論大小，見我都要請安，你不請安，是何緣故？」

樊燮也怒了，高聲說：「朝廷體制並未規定武官見師爺要請安。武官雖輕，也不比師爺賤，何況樊某乃朝廷任命的正二品總兵，豈有向你四品幕僚請安的道理！」

左宗棠一時語塞，氣得環眼暴凸，燕頷僵硬，虎地站起來，衝過去，抬起脚就要踢樊燮，駱秉章慌忙攔住：「季高，你這是幹什麼？」

左宗棠氣得呼呼大喘，好半天，才冒出一聲雷鳴：「王八蛋，滾出去！」

樊燮火冒三丈，青筋鼓起，欲再與左宗棠爭辯，駱秉章忙說：「樊鎮台，你請回吧！本撫就不送你了，祝你馬到成功。」

樊燮只得含恨退出，當天下午便離長沙北去。

樊燮窩著一肚子氣到了武昌，謁見官文，添枝加葉地把左宗棠如何無視朝廷命官、驕橫跋扈、獨斷專行的情形，向官文哭訴了半天。官文聽後老大不快。左宗棠居然敢對他的姻親、朝廷指派的援川將領如此無禮，他豈能容忍！當天夜晚，官文便給皇上上了一個摺子，將樊燮所說的摘要寫了幾條，又給左宗棠戴了一頂「劣幕」的帽子，說他把持湖南，為非作歹。

咸豐帝接到官文這道奏章，方知左宗棠居然是這樣的幕僚，他大為吃驚，隨即在奏章上批道：「湖南為劣幕把持，可惱可恨，著細加查明，若果有不法情事，可就地正法。」

奏摺遞回武昌，六姨太知左宗棠與胡家的關係，便悄悄地把此事告訴靜娟夫人。靜娟夫人怎能眼見自己兄弟的丈人吃官司不救，便求胡林翼設法搭救。胡林翼一面火速打發人送信到長沙，將事情原委告訴左宗棠，一面發信給郭嵩燾和王闓運。郭嵩燾此時供職南書房，王闓運則在已升為協辦大學士的肅順家作西席。咸豐四年八月，曾國藩率湘勇出省入鄂，王闓運沒有隨行。咸豐五年，王闓運中舉，次年赴京會試。會試告罷後留京溫習，被肅順看中，延入府中。胡林翼請郭、王密切注視朝廷動向。

左宗棠接到胡林翼的信後，藉口赴京會試，向駱秉章辭職。駱再三挽留不住，只得放行。左宗棠含恨離開長沙，回湘陰小住幾天後，便帶著一個僕人，冒著嚴寒乘船北去。這時，郭嵩燾給胡林翼來了一封急信，說皇上怕官文所奏不實，特地派都察院湖廣道監察御史富阿吉來湘查訪，將於近日由運河南下。胡林翼將家人胡漢喚進書房，密授機宜。胡漢受命，星夜乘快馬赴河北，在山東德州遇上了富阿吉。

胡漢在德州出高價雇了一隻大船，船上陳設華麗，肴饌精美。趁富阿吉的船泊在德州碼頭的時候，胡漢先請富阿吉的僕人上船玩，並以好酒好菜招待。僕人於是勸富阿吉改乘胡漢的大船。富阿吉到船上看了看，滿口應允。待富阿吉上船後，胡漢又從德州妓院雇來四個能歌善舞的漂亮妓女陪伴他。富阿吉是個世家子弟，胸無點墨，靠祖上的軍功，年紀輕輕地便做上了五品御史，平日最好的就是聲色犬馬、醇酒美婦。這一下，如同進了天堂，他不願早日入湘，只想在船上多盤桓些日子。那船似乎懂得富阿吉的心思，走得極緩極慢，又時走時停。就這樣，富阿吉從北京到武昌，足足用了三個月。這期間，胡林翼將左宗棠留在襄陽聽消息，暫勿進京。

富阿吉一到武昌，就被接進巡撫衙門，胡林翼親自設宴爲之洗塵。酒吃到興起時，胡林翼對富阿吉說：「星使爲查辦左宗棠，不畏辛苦，跋山涉水，令人敬佩。」

富阿吉謙虛地說：「僕受皇上差遣，查朝廷要案，無辛苦可言。」

胡林翼連聲說「可敬，可敬」，又殷勤勸了一杯酒，問：「星使從前知左宗棠其人否？」

富阿吉答：「不曾聽說。」

「林翼與左宗棠同鄉，對其人略知一二。」

「請中丞說說。」富阿吉放下筷子，顯出一副專注的神態，似乎查辦左案就從這裏開始了。

「湖廣一帶人士，凡稍涉國事者，莫不知左宗棠乃當今一人才。値此宇內紛擾，三湘略能安枕者，固仗駱中丞鎭撫之功，亦靠左宗棠贊襄之力。遠的不說，這次長毛僞翼王竄擾寶慶府，全省震驚。正是因爲左宗棠指揮省內綠營、團練同心協力作戰，寶慶府城才得以保存，湘省人民才免遭塗炭。」

「哦，如此說來，左宗棠這人也還有些本事。」富阿吉生長在鐘鳴鼎食之家，戰火兵災從未見過，心想：倘若叫我去殺賊衞土，還不知如何應付哩！

「豈止是有些本事！」胡林翼認眞地說，「實爲當今戡亂大才。只因左宗棠耿介成性，嫉惡如仇，又缺乏涵養，故開罪小人。據說告狀的永州鎭總兵樊燮貪婪庸劣，士兵百姓都有怨言。左宗棠對他的呵責，並非蔑視朝廷命官，而是發洩心中對貪官汚吏的憤恨，希望星使爲保全人才計，替左宗棠說幾句話。」

富阿吉不在意地說：「僕奉命查辦，總期水落石出，案情大白。中丞放心，一定會公事公辦。」

「公事公辦，誠爲至論，但目前謠諑紛紜，星使又不明內情，恐怕欲秉公辦理而不能。」

富阿吉問：「如中丞所說，該如何辦才是？」

胡林翼說：「依鄙人之見，星使當先存愛才之心，後方能做到秉公辦理。」

「中丞是要我袒護左宗棠？」富阿吉警覺起來。

「不能說袒護，乃爲惜才耳。左宗棠之才出類拔萃，天下紛亂，養成一人才不易，寧忍加以摧殘？鄙人之意，實爲國家社稷著想，非爲私情。星使若理解，就請在武昌停駐，中止湘行，鄙人已代星使擬好奏稿，爲左宗棠辯誣，星使可在武昌拜發後返旆回京。」

富阿吉一聽，頓時變色，拿出欽差大臣的架勢來，一本正經地說：「中丞此言差矣。僕奉使命而不赴湘查辦，住在武昌，豈不欺罔朝廷，蒙騙皇上？左宗棠之案已立於都察院，僕豈能憑中丞一面之辭而定讞？中丞剛才這番話，既有諛左宗棠之嫌，又陷僕於不忠，還望中丞三思才是。」

說完就要起身，彷彿這桌酒席是害他不忠的陷阱。

「慢點！」胡林翼冷冷地說，一面從櫃子裏拿出一份奏摺來甩到富阿吉的面前，「星使不發代擬之摺，鄙人將拜發此摺了。」

富阿吉莫名其妙地拿起奏摺，看著看著，冷汗淋漓，面如死灰。原來，胡林翼的奏摺是一份措辭强硬的彈劾。內中列出富阿吉自出京以來，如何騷擾民間，奸淫民女，耽於享樂，有意延誤行程等等罪狀，人證物證俱在，不容辯駁。富阿吉是個未諳世事的紈絝青年，看著這個奏摺，早已嚇得魂飛魄散，手抖抖地不能自己，忙賠著笑臉說：「中丞，開玩笑何以至如此。常言說得好，官官相護，共保無事，請中丞萬勿拜發此等奏摺，僕感激不盡！」

胡林翼也換成笑臉說：「星使也不必過於害怕。舟中之事，鄙人不告發，諒旁人也不知。鄙人不求星使感激，請星使就此拜發代擬摺吧！」

富阿吉無奈，只得遵命拜發。

在此同時，官文也打發幾個人裝模作樣地到長沙住了幾天。回到武昌，按早已定好的調子也拜發了一份奏摺，證明樊燮所說屬實，請殺左宗棠以儆效尤者。

咸豐帝接到兩份截然不同的奏摺，有些爲難，便與肅順商量。肅順回府後，與王闓運談起這事。王闓運乘機在肅順面前極言左宗棠之才，請他保全。肅順久聞左宗棠能幹，也有心保護，便對王闓運說：「聽說左宗棠與曾國藩、胡林翼相交甚深，我勸皇上特旨垂詢曾、胡，你再去跟郭嵩燾說說，聯絡幾個名翰林上書皇上。到那時，我就好說話了。」

當時最有名的翰林，是壬子年探花，時爲內閣學生的吳縣人潘祖蔭，其祖父乃鼎鼎有名的狀元大學士潘世恩，郭嵩燾與他同值南書房。潘祖蔭喜愛古玩，尤愛收集鼻烟壺。傳說他主考鄉試時，遇到兩個不相上下的考生，而又只能二者取一時，他便拿出紅綠兩個鼻烟壺來放在口袋裏，先定好紅爲甲，綠爲乙，然後信手摸，摸出紅來取中甲，摸出綠來便取中乙，決不改變。郭嵩燾在王府井古董店裏，高價買一下一只明萬曆年間利瑪竇從意大利帶來進貢的鑲銀瑪瑙鼻烟壺，邀請潘祖蔭來家喝酒。酒酣耳熱之際，郭嵩燾賣弄似地拿出鼻烟壺，果然引得潘祖蔭味口大開，欣賞把玩，愛不釋手。

「伯寅兄，你是個收藏鼻烟壺的專家，要是看得上，就送給你湊個數吧！」

「眞的？」潘祖蔭喜出望外，「筠仙，你這個禮物太貴重了，叫我如何感謝你！」

「感謝嘛，不敢當。」郭嵩燾摸摸已經發福的圓胖臉，笑道，「只求你的大手筆做一篇有益於國家的文章。」

「這個容易，你只管說。」

要探花潘祖蔭寫篇文章，就好比要小孩子搓個泥蛋一樣，既樂意辦，又容易辦。

「左宗棠的事，你聽說過嗎？」

「你是說官文告狀的事嗎？」潘祖蔭一手用玉簽剔牙，一邊擺弄著杭州檀香扇，扇上的詩畫都出自他的手筆，一副十足的名士派頭。

「官文是誣告。」

「眞的嗎？」潘祖蔭覺得奇怪，左宗棠這幾年爲湖廣局面的穩定出過不少力，京師都有傳聞。官文作爲湖廣總督，爲何要誣告一個師爺？待郭嵩燾將事情的經過和這中間複雜的關係，原原本本地告訴潘祖蔭後，潘恍然大悟。潘祖蔭才華橫溢，少年氣盛，十分惱火滿蒙親貴的尸位素餐、嫉賢妒能，況且他的家鄉四周已落入太平軍手中好多年了，迫切盼望早日光復，而光復的希望又只能寄託在曾、胡、左等人的身上。潘祖蔭邊聽邊打腹稿，待郭嵩燾說完後，他的腹稿也已打好。瞬息之間，便草就一篇摺子。

「筠仙，你看看好不好？」

郭嵩燾接過，輕輕念道：「湘勇立功本省，援應江西、湖北、安徽、浙江，所向克捷，雖由曾國藩指揮得宜，亦由駱秉章供應調度有方，而實由左宗棠運籌決策，此天下所共見，久在我聖明洞察之中也。前逆酋石達開回竄湖南，號稱數十萬。以本省之餉，用本省之兵，不數月肅清四境，其時賊縱橫數千里，皆在宗棠規畫之中。設使易地而觀，有潰裂不可收拾者。是國家不可一日無湖南，湖南不可一日無左宗棠也。」

讀到這裏，郭嵩燾神采飛揚，拍案叫絕：「伯寅兄，你眞不愧爲探花郎！『國家不可一日無湖南，湖南不可一日無左宗棠』。這眞是千古佳句！萬千稱讚左宗棠的話，在這兩句面前都顯得軟弱無力。我今天眞是服了你。」

「你讀完吧，讀完後我們再來一句句斟酌。」潘祖蔭微笑著，心中十分得意，檀香扇在手中輕輕地搖動。天氣其實還很冷，扇子在他手裏，不過是一種習慣、派頭的表現而已。

「宗棠爲人，秉性剛直，嫉惡如仇。」郭嵩燾繼續念下去，「湖南不肖之員，不遂其私，思有以中傷之久矣。湖廣總督惑於浮言，未免有引繩批根之處。宗棠一在籍舉人，去留無足輕重，而楚南事勢關係尤大，不得不爲國家惜此才。」

「好，就這樣送上去，一個字都不用動了！」郭嵩燾發自內心地讚嘆。

「筠仙，你莫客氣，該改該刪的地方，都由你作主。」

「眞的妙極了。這樣的奏疏，日後必然傳下去，尤其是兩個『不可一日無』，一定會傳頌千古。」

「傳頌千古不敢當。不過，這兩句也確是神助之筆。一篇好文章，靠的就是一兩句警句支撐。比如《滕王閣序》，靠的是『落霞與孤鶩齊飛，秋水共長天一色』，《岳陽樓記》靠的是『先天下之憂而憂，後天下之樂而樂』。」潘祖蔭搖頭晃腦地說著，看來，他也被自己創造的警句陶醉了。

過幾天，曾、胡的回奏先後到達咸豐帝的手裏。曾國藩說：「左宗棠剛明耐苦，曉暢兵機，當此需才孔亟之時，或飭令辦理湖南團練，或簡用藩、臬等官，予以地方，俾得安心任事，必能感激圖報，有裨時局。」胡林翼說得更懇切：「臣查湖南在籍四品卿銜兵部郎中左宗棠，精熟方輿，曉暢兵略，在湖南贊助軍事，遂以克復江西、貴州、廣西各府州縣之地，名滿天下，謗亦隨之。其剛直激烈，誠不免汲黯大戇、寬饒少和之譏。要其籌兵籌餉，專精殫思，過或可宥，心固無他。懇請天恩酌量器使，飭下湖南撫臣，令其速在湖南募勇六千人，以救江西、浙江、皖南之疆土，必能補救於萬一。」

肅順借著潘、曾、胡的奏疏，請皇上免查左宗棠之過失，予以重用。咸豐帝接受肅順的建議，下詔左宗棠以四品京堂候補，隨同曾國藩襄辦軍務。後來，左宗棠又請駱秉章代他上一道奏摺，詳細奏明樊燮貪劣無能之種種情事，樊燮終被革職。

樊燮帶二子回到原籍湖北恩施，建一棟樓房。樓房建成之日，樊燮宴請恩施父老，說：「左宗棠不過一舉人，既辱我身，又奪我官，且波及我先人，視武人爲犬馬。我把二子安置樓上，延名師教育，不中舉人進士點翰林，雪我恥辱，死後不得入祖塋。」

樊燮重金聘請名師，以樓房爲書房，除先生與二子外，別人一律不准上樓。每日酒飯，必親自過目，具衣冠延先生下樓坐食，席上有先生未動箸者，即撤去另換。二子不准著男裝，都穿女子衣褲，又將左宗棠罵他的「王八蛋，滾出去」六字寫在木牌上，置於祖宗神龕下側，告誡二子說：「考上秀才進學，脫女外服；中舉脫女內服，方與左宗棠功名相等；中進士、點翰林，則焚木牌，並告訴先人，已勝過左宗棠了。」

二子謹受父命，在書案上刻「左宗棠可殺」五字。後來，樊燮的第二子樊樊山果中進士。報捷那天，他恭恭敬敬地在父親墳頭報喜，當場焚燒「王八蛋，滾出去」木牌。這些都是後話了。

二　江南大營潰敗後，左宗棠乘時而起

就在朝廷處理樊燮、左宗棠一案的這段時期裏，曾國藩將大營移到安徽宿松，作重新收復皖省的準備。左宗棠應曾國藩之邀，由襄陽來到宿松，一住就是二十天。二人在宿松大營裏昕夕縱談東南大局，商量補救方略。曾國藩又將近年來輯錄的《經史百家雜鈔》底稿給左宗棠看，請他提意見。軍務這樣繁忙，曾國藩居然能忙中偷閒，不忘文人本職，編輯了百萬字的大部頭古文選本，使左宗棠自嘆不如。他接過底稿，認眞地看起來。

這一天，彭玉麟差人來報，屬外江水師的澄海營與屬內湖水師的定湘營，同在長江上截獲一條運糧往安慶的洋船，因分貨不均而發生械鬥，請派人前去調停。事態嚴重，曾國藩決定親到彭澤走一趟。他與左宗棠約定，回來後聽左談對《經史百家雜鈔》的意見。曾國藩剛走，左宗棠便收到了胡林翼的信。信上說皇上將命他回湘募勇，可早作準備。左宗棠欣喜異常，只等曾國藩回到宿松後，即告辭回湘。正在這時，一場意外的變故發生了。

取得三河大捷的陳玉成、李秀成先後被洪秀全封爲英王、忠王，以後李世賢也被封爲侍王。咸豐十年正月間，三王爲解天京之圍，策畫了一次大的軍事行動。李秀成、李世賢由蘇南率軍進入浙江，大兵猛壓杭州。浙江巡撫羅遵殿慌忙向江南大營統帥和春求救。和春派總兵張玉良帶兵兩萬，由江寧趕救杭州。張玉良剛走到半路，李秀成、李世賢帶兵離杭北上，猛撲江南大營。此時，陳玉成率皖北之兵强行渡江。兩軍會合，數日之內連破江南大營外圍要地高淳、溧陽、溧水、句容、秣陵關。江南大營被包圍了。和春、張國梁分頭拼死抵抗。太平軍與清軍連戰九晝夜，江南大營徹底崩潰，天京之圍頓解，李秀成、陳玉成圍魏救趙之計獲得全勝。太平軍趁勢南下，和春、張國梁節節敗退。張國梁死於丹陽，和春斃命於滸墅關。七萬江南綠營，除張玉良部二萬人外，至此全部瓦解。

消息傳出時，曾國藩正在彭澤。他既感意外，又在意料中。楊載福對敗兵沿途的騷擾非常憤慨，彭玉麟則擔心太平軍的氣焰會更加熾烈。曾國藩心中却隱隱生出一絲快意：江南大營的瓦解，或許將預示著湘軍的轉機！他匆匆離彭澤返宿松。船過泊笏湖時，接到正駐軍寧國的李元度的信。李向他報告江南大營的情況，並捎上一句耐人尋味的話：和春死，桂清逃，東南大局，天意將屬於誰？

「這個平江才子，想得也太多了。」曾國藩心裏說，隨手點起火，將信燒了。宿松老營的反應如何呢？曾國藩心中交織著憂慮、沉重、慶幸、熱望等各種複雜情緒，究竟哪種心情，連他自己也說不準。夜裏，他躺在船上，輾轉反復，難以入眠。後半夜，癬疾又發作了，奇癢難耐，害得他整夜不能合眼，抓得皮屑滿床，血迹斑斑。

天亮時，船靠了羊角塘碼頭，他換了轎子，匆匆向宿松老營奔去。老營紮在縣城外，氣氛仍如幾天前的平靜。曾國藩一進屋，便看到案桌上堆了一尺多高的文報。他拿起最上面的一份，隨便瀏覽。

「滌生，你到底回來了，我天天都在盼望。」人未進門，聲音就雷鳴般地灌了進來，除開左宗棠，再沒有第二人這樣。「出大事了，你知道嗎？」

「你是說江南大營的事？」曾國藩放下文報。

「江南大營已不復存在了。」左宗棠邊說邊在對面木凳上坐下。

「四五萬人馬，十多天的日子便毀了，眞不堪設想，可惜呀！」曾國藩面帶戚容，比起左宗棠宏亮的嗓音來，他的音色乾澀多了。

「有什麼可惜的，這個膿包早點穿了的好！」左宗棠的爽直，使曾國藩吃驚。

「你說得太刻薄了，江南大營畢竟經營了七八年，擔負著抵抗長毛的大任呀！現在和帥、張軍門慘死，數萬弟兄身亡異鄉，朝廷辛辛苦苦部署的計劃全部打亂，今後只會使長毛的氣焰更囂張，我們的道路更艱難。」

「和春、張國梁死不足惜，數萬弟兄雖可憐，但這也是無可奈何的事。不過，對消滅長毛的大局來說。」左宗棠兩眼逼視著曾國藩，略微壓低了聲音，「滌生，莫怪我說得直，它倒是一件天大的好事。」

「你說什麼！」曾國藩故作驚訝地問，「這是我之不幸，敵之萬幸，何來天大的好事可言？」

「滌生，我不信你眞的沒看出來。」左宗棠一笑。他這人要說的話藏不住，痛痛快快地倒出來後，心裏就舒服了。「江南大營早已千瘡百孔，腐臭沖天。當將官的莫不錦衣玉食，娼優歌舞，士兵則多抽鴉片，嫖賭成風，士氣溺惰，軍營糜爛。這兩年來，何桂清每月給它十多萬兩銀子的接濟，想利用它來做個中興名臣；朝廷則受何的欺騙，以爲江南大營是抵抗長毛的主力，反倒將我們湘勇視爲可有可無。不要說你和在前線打仗的弟兄們不服，就是我這個留守大臣都慪了一肚子氣。眞正是蟬翼爲重，千鈞爲輕，黃鐘毀棄，瓦釜雷鳴呀！現在江南大營徹底覆沒，將使朝廷從此清醒過來，豈不是天大的好事！」

「你知道何桂清逃命的情形嗎？」左宗棠說的是實話，曾國藩怎會不知道！對朝廷的決策，他歷來採取謹愼的態度，從不妄加議論，何況當著這位心直口快的左季高的面！對何桂清則不同。曾國藩恨何桂清，最先起於郭嵩燾購浙鹽的事；後來，何桂清常向他的靠山——軍機大臣彭蘊章寫密信，說曾國藩膽小，不會打仗，彭蘊章把這股陰風吹到了皇上的耳邊。這些，都是郭嵩燾在南書房當値時聽到的。現在，何桂清終於慘敗了，曾國藩如何不快意！

「不知道！」左宗棠搖頭。他對於這些身居高位的官僚有種本能的敵意，極樂於聽他們的倒楣事，「你說吧。」

「敗兵逃到常州，何桂清才知江南大營破了。他不思抵抗，立即帶著僚屬跟在和春的後面南逃。常州士紳知道了，半路攔下他的轎子，哭著跪著請他留下。何桂清這個喪盡天良的傢伙，居然命令親兵開槍，打死了幾個鄉紳，然後衝出人羣，逃到蘇州。徐有壬閉門不納，只得連夜繞城牆往上海方向逃去。向攀轎挽留的鄉紳開槍，大清二百年來，還沒有這樣的總督！」義憤私怨混合在一起，使曾國藩出現了少有的激動。

「偏偏都是這些混蛋得到重用，倘若不是這次長毛打到常州，過不了幾年，這個油滑小生又要入閣了。」天下這些不平事，左宗棠恨之入骨，提起便有氣。近年來年紀大了，他有時也能克制自己的肝火。他有意端起茶杯，大口大口地喝起茶來。火氣略爲平息後，他告訴老朋友，皇上已命他回湘募勇，明天就要離開宿松。

「明天就走？」曾國藩希望左宗棠多住幾天，關於局勢變化後湘勇的用兵計劃，他很想與這個今亮商討商討，「《經史百家雜鈔》編纂如何，你還沒有提意見呢！」

「我猜想你欲超過姚鼐？」左宗棠詭譎地笑笑。

「姚姬傳先生博大精深，我粗解文章，乃姚先生啓之，哪裏敢有超過他的野心。」曾國藩誠懇地說。

「當然，要想超過姚鼐，也的確不易。」左宗棠收起笑容，認眞地說，「不過，你將姚先生義理、詞章、考據的治學路徑有意拓寬一條，把經濟加了進去。從這點上說，你有所超過。但大醇小疵，裏面也有些篇章還可再斟酌斟酌，眼下我無心和你多說，待平定長毛後，再來詳論如何？」

「好！平定長毛後再談。先說說，你準備招多少人！」

「多則一萬，少則七八千，名字我已想好了，就叫它楚軍。」

「楚軍？」曾國藩想起當年王鑫在趙家祠堂張貼「湘軍營務處」招牌的事，「季高，叫楚軍不宜，你既然要另樹一幟，還是叫楚勇爲好，日後免得遭人訐難。」

「雖然是勇，但它既出省作戰，還是叫楚軍爲好，究竟名正言順些。」左宗棠不是王鑫，他不願受曾國藩的制約，做事也沒有曾國藩那麼多的顧慮，有聲有色，烈烈轟轟地幹一番事業，是他幾十年夢寐以求的願望。前幾個月，他因樊燮告狀，在長沙處境不利，有人甚至偷偷寫一些辱罵的小條子，半夜貼在他的門上以洩積怨，常常惹得他怒火中燒。有一張帖子寫著「欽命劣幕銜幫辦湖南巡撫大公館」，極盡挖苦之能事。現在此案已平，因禍得福，且又正遇江南大營潰敗的非常時機，年已四十九歲、中舉達二十八年之久的左宗棠怎能失掉這個大好機會！他恨不得招集十萬八萬雄師，盡展胸中奇才，一年半載便蕩平巨寇，克復江寧。他相信自己有這個本事。

左宗棠剛告辭出門，親兵送來一個訃帖：羅遵殿家明日舉行家祭，請曾國藩參加。

「淡村死得可憐！」曾國藩自言自語，滿臉陰雲，轉而對親兵說，「你告訴羅家，明早我親來府上吊唁。」

三　想起歷史上的權臣手腕，曾國藩不給肅順寫信感恩

羅遵殿是安徽宿松人，一年前由湖北藩司任上調任浙江巡撫。他與胡林翼關係極深。何桂清出於對湘系人員的嫉妒，討厭羅遵殿。張玉良奉和春命帶兵援浙時，何桂清指示親信江蘇藩司王有齡，以視察蘇州城垣爲名，將張玉良留在蘇州兩天，結果貽誤軍情，致使羅遵殿城破自殺。曾國藩很爲羅遵殿抱不平，他凝神良久，爲羅寫了一副輓聯：「孤軍斷外援，差同許遠城中事；萬馬迎忠骨，新自岳王墳畔來。」第二天，曾國藩親到羅府，在羅遵殿的靈柩前鞠躬致哀。當他所撰的輓聯被高高懸掛起來的時候，所有前來吊唁者莫不感慨唏噓。

憑吊完畢，曾國藩特地叫羅遵殿的兒子羅忠祐到後院敍談，以示關懷。他要羅忠祐將父親寃死之事上奏皇上，嚴懲貪生怕死、禍國殃民的何桂清。又勉勵羅忠祐好好讀書，鍛鍊才幹，方今四方多虞，有才者必不會久處囊中。

「曾大人，晚生年幼，雖極願讀書，但不知生在今世，以讀哪種書爲急務。」羅忠祐一向敬佩曾國藩的學問，趁機向他請教。

曾國藩想了想，說：「先哲經世之書，莫善於司馬文正公《資治通鑑》。其論古皆折衷至當，開拓心胸，如因三家分晋而論名分，因曹魏移祚而論風俗，因蜀漢而論正閏，因樊、英而論名實，皆能窮物之理，執聖之權。又好敍兵事所以得失之由，脈絡分明。又好詳名公巨卿所以興家敗家之故，使士大夫怵然知戒。實六經外不刊之典。足下若能熟讀此書，而參稽三通、兩衍義，將來出來任事，自有所持循而不失墜。」

羅忠祐很受啓發，說：「大人這一番教導，使晚生從迷津中走了出來。晚生今後就遵照大人的教誨，好好研習《資治通鑑》。」

正說話間，忽見一人跟蹌闖進靈堂，高呼：「淡翁，你死得慘呀！」

曾國藩抬頭看時，原來是湖北糧台總理閻敬銘。他走過去，拉著閻敬銘的手問：「你是從武昌專程來的？」

閻敬銘說：「潤芝要我代他來宿松吊唁，他還有封信要給你。」

曾國藩點點頭，不再問了。

羅府家祭完畢，曾國藩請閻敬銘同到軍營。

「吊淡村是名，送它才是實。」進了內室後，閻敬銘從靴頁中間抽出一封信來，雙手遞給曾國藩。

曾國藩心想：這是一封什麼信，如此神秘！他一看信封，更感奇怪了：信封上並不是寫的他的名字，而是胡林翼的大名。拆開看時，才知這是肅順近日寫給胡林翼的一封密信。信上說的是這樣一件事：江南大營潰敗，皇上近來寢食不安；何桂清臨陣脫逃，皇上更爲憤恨。皇上打算在東南幾省內選一個可靠的人代替何桂清，爲此事垂詢過幾位親貴大臣。昨夜，皇上對肅順說，擬授胡林翼爲兩江總督。肅順聽後沉吟片刻，說：「胡林翼才學優長，足堪江督之任，但若調離，鄂撫一職則無人可代。」皇上問：「叫曾國藩任鄂撫如何？」肅順說：「六年前，皇上命曾國藩署鄂撫，幾天後又撤銷前命，曾國藩想必心中不快。事隔六年，又叫他任鄂撫，顯得皇上恩德不重，不如乾脆叫曾國藩作江督。胡與曾是好友，必定會協調合作。那時上下一氣，東南局面將有轉機。」皇上點頭說：「你考慮的是，就這樣辦吧！」

曾國藩看到這裏，激動得手微微發顫，心裏充滿著對肅順的無限感激。肅順信最後寫道：

潤芝向來深明大義，顧全大局，想不會因此事而有芥蒂。望與曾滌生和衷共濟，力挽狂瀾，建

攻克江寧大功。異日建凌烟閣，同繪潤芝與滌生像於其首。

信的邊角還有一行小字：「請送與滌生一閱。」

曾國藩將信重新折好，鄭重裝進信套，雙手退回給閻敬銘，說：「煩你轉告潤芝，就說我已經拜讀了。」待閻敬銘將信又塞進靴頁中間後，曾國藩問：「潤芝還說了些什麼？」

閻敬銘答：「潤芝要我告訴你，說難得皇上身邊有肅相這樣的賢臣，以天潢貴胄之尊，對我漢族士人如此垂青，實我朝僅見。看來大事有濟，國家中興有望，可以放手大膽去幹一場了。」

「是呀！君聖相賢，國事有可爲。」曾國藩從心底深處湧出這句話。

「潤芝還說，欲復江寧，還得從皖省下手，建議沅甫帶吉字營速圍安慶。沅甫才大器大，足可獨當一面。」

「才根於器，確爲艮論。」曾國藩笑道，「看來，我這個做哥哥的，還不如潤芝對沅甫了解得深透。你回去告訴潤芝，就說我按他的部署，立即調沅甫去安慶。」

「好，我不在宿松久留了，明天就回武昌。」

閻敬銘剛走，又響起敲門聲。「這麼晚了，還有誰來？」曾國藩心想。

門打開了，進來的是李鴻章。

「恩師，睡不著覺，想跟你老聊聊。」

李鴻章知道曾國藩有個好夜裏聊天的習慣。

「什麼事害得你睡不好覺，這可是少有。」與曾國藩相反，李鴻章則瞌睡極重。這點，曾國藩也知道。

「恩師。」李鴻章坐下後，一本正經地說，「我想來想去，這江南大營的潰敗，不是壞事，是好事。」

「你也是這樣看的？」曾國藩暗自高興，李元度、左宗棠、胡林翼都能從江南大營的失敗中看到湘勇的轉機，現在李鴻章也持這種看法，他感到自己身邊的確有一批識見不凡的人才。

「禍兮福所倚，福兮禍所伏。江南大營前些日子表面上熱火朝天，其實已種下了潰敗的禍根。現在全軍覆滅的大禍裏，又潛伏著戰事的轉機。」李鴻章兩隻好看的眼睛閃閃發亮，顯出一種異常機靈的模樣。

「將會有什麼樣的轉機呢？」曾國藩問。他既想進一步測量李鴻章對事情的分析能力，又要憑他的分析來驗證自己的判斷。

「恩師，我以爲皇上從此將會對綠營失去信心，而把全部希望寄托在湘勇身上。這就是戰事的轉機。」

好個乖覺的李老二！曾國藩心裏稱讚著。他羨慕李文安好福氣，生下了一個這麼聰穎的兒子，倘若紀澤能像他一樣就好了。

「恩師，門生還有一種預感。」李鴻章把頭伸過去，靠攏曾國藩，神秘地說，「何桂清肯定會被撤職，恩師極有可能總督兩江。」

「不要瞎說！」曾國藩小聲制止。

「是。門生不會對別人講，只是自己這樣想想罷了。」過一會，李鴻章又說，「恩師，門生想，湘勇雖水陸俱全，但還有欠缺。」

「缺什麼？」

「缺一支馬隊。」

「哦！」曾國藩點點頭，習慣地半瞇起眼，靠在椅背上沉思著。很快，半瞇的眼睛睜開了。他想起六弟曾說過，半瞇著眼睛看人，使人覺得倨傲，不易接近。要改！今後作了總督，位高權重，更要注意儀表上的謙恭。李鴻章倒沒有注意到這個變化，繼續說：「長毛馬隊力量不强，但皖北的捻子却擅長騎射，今後平息捻子，非有一支强悍的馬隊不可。」

「少荃，你考慮得長遠。」李鴻章的提醒很重要。皖省屬兩江的轄境，不能僅僅只想到目前，還要慮及它今後的長治久安。「你準備一下，過幾天到皖北去招募五百剽悍的大漢，我再派人到口外去買五百匹好馬，由你來訓練一支馬隊如何？」

「恩師如此器重，門生一定要把這支馬隊訓練好。」李鴻章大喜過望，再隨便扯了幾句閑話，便起身回去了。

睡意給閻、李的談話全部冲走了，曾國藩乾脆不上床睡覺，他覺得有許多事要趕快辦理。環視東南數省，只有自己最有資格任江督一職，看來肅順說的是實話。從咸豐三年帶勇以來，就巴望著能有這一天的到來。現在，這一天已屈指可數了。這個時候的兩江總督，其實就是與長毛作戰的最高統帥，也就是全國軍事力量的最高統帥，要站在這個高度上作一番統籌全局的安排。然而，過去歷任兩江總督的怡良、何桂清等人，都沒有看清自己的位置，或者看到了，但手中無足夠的可直接調配的軍隊，也當不成眞正的統帥。曾國藩是可以充當這個統帥的。他有自己的嫡系力量——湘勇，他要制定出一個深思熟慮的、切實可行的用兵計劃，大大擴充湘勇，指揮兩江的綠營，做一個號令威嚴、三軍敬畏的統帥。想到這裏，曾國藩再一次湧起對肅順的感激之情。

他要給肅順寫一封極機密的信，派人專程送到北京去。曾國藩抽出一張紙來，又慢慢地磨著墨。猛然，他記起了肅順要胡林翼將信給他看的話，心中產生了疑問：爲什麼肅順要將這種絕密的事告訴胡林翼和自己呢？按理，他不應該洩露出來。「肅順要討好！」曾國藩心裏說，他開始冷靜了。對於這個聖眷甚隆的協揆，曾國藩是淸楚的。肅順精明幹練，魄力宏大，敢於重用漢人，瞧不起滿蒙親貴中的昏憒者。爲人驕橫跋扈，獨斷專行。原來與恭王關係較好，後來仗著皇上的寵幸，連恭王也不放在眼裏了。今日的肅順，不就是歷史上的權臣嗎？恭王以及在他身後的滿蒙親貴，在朝廷中勢力很大，與他們相比，肅順勢孤力單。皇上雖說年輕，但據說有癆病，萬一有不幸，肅順豈是恭王的對手！他這樣明目張膽地拉攏自己，安撫胡林翼，是不是心懷叵測？想到這裏，曾國藩心中冒出一絲恐懼。凡事預則立，不預則廢。這樣的大事，還是以謹愼爲好。曾國藩停止磨墨，將紙收到抽屜裏。他決定不給肅順寫感謝信，今後即使眞的上諭來了，也只能按規矩辦事，給皇上上謝恩摺，不能與肅順有私下的聯繫。

四　定下西面進攻的制勝之策

上諭眞的到了宿松：「曾國藩著先行賞加兵部尙書銜，迅速馳往江蘇，署理兩江總督。」這個消息很快便傳開了，駐紮在宿松的湘勇將官們紛紛前來祝賀，宿松、太湖、望江等縣的縣令們，一個個親自坐轎來，連遠駐徽州的左副都御史張芾也打發人飛騎奔來道喜。凡前來恭賀的人，曾國藩一律不見。他在大營牆上張貼一紙告示：「本署督荷蒙皇恩，任重道遠，無暇應酬，賀喜者到此止步，即刻返回，莫懈職守，本署督已祇受矣。」

因爲事先早已知道，曾國藩對這道上諭並沒有表現出過多的欣喜，反而深感臨危受命的重大責任。局面是嚴峻的：整個蘇南，除上海一隅外，已全部落入太平軍手裏；蘇北皖北，捻軍勢力大爲增長，行踪飄忽不定，州縣無法對付；在浙江，李秀成的部隊繞過杭州，出沒於浙西一帶；江西饒州、廣信、建昌、撫州等地，經常被李世賢的人馬任意往來；石達開的二十萬人馬雖已進入川貴，但隨時都可返旆東來，太平軍的各路人馬，合起來至少還有五六十萬。進入知天命之年的曾國藩，這些天來時常有一種蒼涼之感。朝廷在江南大營潰敗、四顧無人的時候，才想起依靠湘勇的力量，就在要依靠的時候，仍不願乾乾脆脆把江督授予他這個湘勇的元勛，而要授給胡林翼。難道說，皇上對他的成見，一直耿耿於懷嗎？每當想起這些，曾國藩便湧出一種強烈的委屈和失意之感。有一天深夜，凝視燈火，居然信筆寫出了一首這樣的五言詩：大葉遲未發，冷風吹我衣。天地氣一濁，回頭萬事非。虛舟無抵忤，恩怨召殺機。年年絆物累，俯仰鄰垢譏。終然學黃鵠，浩蕩淪溟飛。寫完後，他自己也覺得好笑：怎麼會心灰若此！他想，無論是對國家，還是對自己，這種思想都要不得。他燒了這首詩，打起精神，考慮今後的用兵計劃。

其實，這些計劃，早在江南大營失敗前，便和彭玉麟、楊載福、左宗棠、胡林翼、李鴻章等人磋商過，那時只局限於湘勇及胡林翼所掌管的部分綠營的調配。現在不同了，兩江地方的綠營都可以由自己來節制。當然，綠營還包括多年來和湘勇一起打仗的多隆阿部。

曾國藩將前些日子磋商的事理出個頭緒來，作出了幾點決定：首先，他清楚地認識到，朝廷從浙江入手，通過蘇、常包圍江寧的東面進攻的決策，歷史和現實都證明是錯誤的，必須改由西面進攻的策略，也就是兩年前復出時所定下的進軍皖中的計劃，即從長江上游向江寧包圍。長江在安徽境內有兩座重要城鎮，一為江北的安慶，一為江南的池州，占住了它們，即打開了攻破江寧的大門。拿下安慶，這是曾國藩復出後的第一個戰略任務，可惜李續賓、曾國華喜負重任。十天前，經胡林翼提醒，曾國藩已擬定調九弟國荃去安徽。他密函九弟：把圍安慶當作圍江寧的演習，訓練部屬，積累經驗，日後好搶奪攻克江寧的首功。曾國荃是個好大喜功的人，接到大哥的信後，立即出發，一面又派人回湖南再募五千人。有了攻吉安的經驗，他對下安慶充滿了信心。曾國藩又把滿弟貞干的貞字營擴大到兩千人，也調往安慶。吉字營、貞字營，才是眞正的曾家軍。安慶方面可以放得下心了。池州如何對付呢？

守池州府的是太平軍左軍主將定天義韋俊。太平軍三下武昌，其中兩次的總指揮便是他。咸豐六年，他在武昌城頭親自指揮打死了羅澤南。曾國藩既對韋俊恨之入骨，又佩服他是個難得的將材。韋俊是韋昌輝的弟弟，是不是不用武力而用離間計使韋俊挾池州投降呢？對此，曾國藩沒有信心。太平軍深受拜上帝教的影響，團結心强，要他們叛教投敵，怕是難辦。

另一件大事，是兩江總督目前駐節何處？朝廷嚴命赴江蘇，江蘇一時固然不能進，但也不能留在宿松不動，置朝命不理。曾國藩拿出李鴻章獻的皖省地圖，指劃著由宿松向浙江方向前進的路線。他在祁門縣境停住了手指。祁門處於叢山包圍之中，一條大道貫穿縣城，東連休寧、徽州，南達江西景德鎮，既有天然大山可以屏蔽老營，又可以與浙江、江西互通聲息，是個駐節的好地方。

還有，兩江屬下的江西、江蘇、安徽以及浙江四省的巡撫，是至關重要的大員，必須逐步地不露聲色地替換，他們一定要是可靠的心腹，否則難收指臂之效。可任巡撫的人選，他心中已有兩個：一個是彭玉麟，一個是贛南兵備道沈葆楨。沈葆楨字幼丹，福建閩侯人，林則徐的女婿，品行才幹，都有岳丈之風。尤其重要的是，他在咸豐五六年間，曾在湘勇營務處任職一年多。以福建人、名臣之戚而與湘勇有如此淵源，實爲難得，既可引爲心腹，又可免盡用湘人之嫌。還得再物色兩個人，一年半載之內將現在的江西巡撫耆齡、安徽巡撫翁同書、江蘇巡撫薛煥、浙江巡撫王有齡統統換掉。

另外，曾國藩還想到，江蘇號爲澤國，水師力量必須加强，除外江、內湖水師外，還須建立淮揚水師，攻取裏下河糧米之倉，建太湖水師收復蘇州，建寧國水師收復蕪湖。

眞個是百事叢雜，千頭萬緒，曾國藩靠著思慮周密和多年來的用兵經驗，對已臨的和將臨的一系列大事小事，逐一作了細細的思考。待基本就緒後，他親自草擬了一份謝恩摺，並將收復兩江、攻取江寧的用兵計劃向皇上作了報告。爲了使皇上採納他的不從東面，而從西面進攻的策略，他很用心地構思了這樣一段文字：

自古平江南之賊，必踞上游之勢，建瓴而下，乃能成功。自咸豐三年金陵被陷，向榮、和春等軍皆由東面進攻，原欲屏蔽蘇浙，因時制宜，而屢進屢挫，迄不能克金陵，而轉失蘇、常，非兵力之單薄，實形勢之未得也。今東南決裂，賊焰益張，欲復蘇、常，南軍須從浙江而入，北軍須從金陵而入。欲復金陵，北岸須先克安慶，南岸則須先攻池州，庶得以上制下之勢。若仍從東路入手，內外主客，形勢全失，必至仍蹈覆轍，終無了期。

曾國藩相信，皇上是會批准他這個西面進攻的制勝之策的，萬一不同意，他也要據理力爭。在這個重大的決策上，他不能作絲毫的妥協，直至辭去兩江總督之職。

謝恩摺擬好後，天將放亮，他吩咐王荊七將奏稿送到文書房謄寫，便吹熄蠟燭，倒頭睡下了。這一覺直睡到黃昏才醒來。在曾國藩的記憶中，從未有過如此安穩的睡眠。心裏高興，吃過晚飯後，曾國藩便打發荊七請康福來，今晚要和他下幾棋。

半年前，曾國藩從吉字營中選拔二百名樸實強壯的勇丁，由朱品隆帶著來到他的身邊，充當親兵營。曾國藩任命康福爲親兵營統領，朱品隆爲副。在康福、朱品隆的訓練下，親兵營人人武藝高强，一以當十，對曾國藩忠心耿耿。

康福帶著祖傳棋子，應召而至，二人興致勃勃地下起來。

「大人，你老的技藝大大提高了。」當曾國藩將被包圍的兩枚黑子拾起時，康福笑著說。

「比起那年在洞庭湖來是有些提高，這多虧了你的指點。」曾國藩今夜特別高興，剛才又吃了兩子，益發興致高。

「大人誇獎。」康福邊說邊注視著棋子，現在對付曾國藩，他必須聚精會神，稍有不慎，便有失子的可能。

「價人，這幾年來，你與不少將領們下過棋，你認爲誰的棋下得最好？」

「下得最好的嘛，」康福略作思考，說，「以前是羅山先生棋藝最精，現在要數次青統領下得最好了，雪琴統領也下得不錯。」

「我湘勇將官除打仗外，人人都會琴棋書畫，這是古來少有的。」曾國藩得意地說。這也是實話。湘勇將官絕大多數出身書生，琴棋書畫自是他們的本行。

「大人說的對。但我也聽說，長毛中也有人圍棋下得好。」

「眞的嗎？」曾國藩饒有興致地問。

「聽人說，長毛頭領中精於圍棋的，第一要數石達開。」

「這有可能。」曾國藩點點頭，「據說石逆大不同其他人，不但會打仗，也會寫詩。聽人說石逆那年在九江潯陽樓上，即興題了一首詩。就詩而論，寫得不壞。」

「石逆的詩是如何寫的？」康福好奇地問。

曾國藩想了想，把石達開的題詩背了出來：「揚鞭慷慨蒞中原，不爲仇讎不爲恩。只覺蒼天方憒憒，要憑赤手拯元元。三年攬轡悲羸馬，萬衆梯山似病猿。妖氛掃時寰宇靖，人間從此無啼痕！」

「口氣倒不小！」康福微笑著，一瞬間，腦子裏出現了弟弟康祿：他現在哪裏？會不會跟石達開進了四川？

「說實在話，此人也是個人才，可惜作了賊首。」曾國藩從心底裏為石達開惋惜。「那麼第二個呢？」

「第二個便要數韋俊了。」

「韋俊也會下圍棋？」曾國藩似乎突然想起什麼，大為驚喜。

「是的，僅次於石逆，在長毛中坐第二把交椅。」

「好，好！」曾國藩習慣地用手梳理著胸前的長鬚，兩眼凝視著前方，弄得康福莫名其妙。

「價人，你和韋俊去下兩盤如何？」

「和韋俊去下？」康福愈發摸不著頭腦了。

「是的，你去下贏他！把楊國棟找來，你們一起去。」

康福似有所悟地點了點頭。

五　紋枰對弈，康福贏了韋俊

五更未到，韋俊就醒了。近一個多月來，他常常都這樣，每到這時，他心裏就發出隱隱痛楚。四年前，天京內訌，韋俊的二哥北王韋昌輝慘遭殺戮，韋俊在武昌城裏嚇得心驚肉跳，常覺不測之禍就要降臨頭上。幸虧他與翼王石達開很要好，翼王後來入京主持朝政，在天王面前竭力稱讚韋俊能征慣戰，功勞赫赫，又暗地叫韋俊上一道奏章給天王，表示堅決擁護天王誅殺韋昌輝，誓死效忠天王，又將三歲的兒子送到天京作人質。這樣才取得天王的信任，不再株連到他的頭上。韋俊終於安下心來。去年天王重新調整軍事領導集團，任命他爲左軍主將。韋俊感激天王對他的信任，要從心底深處抹掉韋氏家族不幸的往事，全力去爭取自己今後的前程。但今年來，許多事情使韋俊又陷於憂慮之中。先是五軍主將中的其他四人，一個接一個地封王。中軍主將蒙得恩是天王最寵信的人，在朝廷中扶持朝綱，封贊王，他不能說什麼。陳玉成、李秀成戰功卓著，全軍敬佩，封英王、忠王，韋俊也沒有意見。但李世賢參加起義時，不過才十來歲的娃娃，這些年戰功平平，封右軍主將猶不夠格，現在居然也封侍王了。而他，始終只是一個「義」。論功勞，別的不說，單是兩次下武昌的功勛，就讓李世賢遠遠不及；論資歷，癸好三年，韋俊就受封國宗爺，賞穿黃袍，而李世賢只是一個普通聖兵。李世賢憑什麼封王？難道因爲他是李秀成的堂弟；而自己不能封王，是否也因爲是韋昌輝的胞弟？想到這裏，韋俊渾身發冷，感到前途一片陰暗。最近，從天京傳來消息，說天王族弟干王洪仁玕要追究他丙辰六年丟失武昌的責任，擬撤銷他在左軍主將之職，召回天京。韋俊心裏想，自己在天王心目中尙有點地位，憑借的就是手下八千子弟兵，倘若召回天京，離開了弟兄們，則如同魚兒離開了水，成爲別人砧板上的菜了。江南大營的潰敗不僅沒有給韋俊帶來歡喜，反而使他又增一分恐懼。戰事不利，天王要用他，一時還不會下手，打了勝仗，力量雄厚，就會想到要剪除異己了。丙辰六年的內訌，不正是發生在踏破江南大營之後嗎？他天天忐忑不安，他曾暗暗想過，大丈夫豈能眼看著人爲刀俎，己爲魚肉，而不思動作？但如何動作？學當今的翼王出走邊陲，還是學前明的闖王遁入空門？他覺得都不好。天已放亮了，韋俊仍然心煩意亂。他起床、推開窗門。正是暮春季節，長江南岸的池州府草長鶯飛，春意盎然。他想城外的春意必然會更濃，於是叫起侄兒韋以德，帶著幾個親兵，背上弓箭，跨上戰馬，悄悄地出了城門。

果然是一片江南好春光：清溪河碧波蕩漾，兩岸楊柳葉暗，桃李花明，黃鸝歡啼，紫燕輕飛，江風陣陣，吹面不寒，細雨飄飄，沾衣欲濕。韋俊一時興起，揚起馬鞭子，那馬飛也似地奔跑起來，穿過清溪鎮，跨過五溪橋，不知不覺地進入了九華山地面。近看濃綠撲面，遙望山峯鬱鬱蒼蒼，韋俊連日來的積鬱頓時散去，興致極高地與侄兒打起獵來。韋俊箭法好，座下又是千裏挑一的神駒，凡在他的射程內的飛禽走獸，幾乎沒有僥倖逃脫的。午後，親兵的馬背上載滿了羚羊獐兔，喜氣洋洋地往回轉。

一陣急馳過後，韋俊回首看九華山已在朦朧之中，忽然想起了唐代大詩人王維的名作，遂在馬背上高聲吟誦起來：「風高角弓勁，將軍獵渭城。草枯鷹眼疾，雪盡馬蹄輕。才過新豐市，忽到細柳營。回看射鵰處，千里暮雲平。」韋俊覺得此刻的自己正是王維筆下的那個將軍，不禁感嘆起來：人生有此一日之樂，即不枉活在世上了。

正在得意之際，前面林子裏忽然閃出一頭梅花鹿來。那鹿毛色光滑，斑紋耀眼，頭上長著高聳的角，甚是逗人喜愛。韋俊常常打獵，從來沒見過鹿，更不用說這樣好看的梅花雄鹿了。韋俊吆喝一聲，拍馬衝上去，張弓便射。可惜，沒射中！那鹿受此一驚，沒命地奔跑。韋俊不氣餒，夾緊馬肚，風也似地追上來。鹿前馬後，相距總在兩三百步遠。韋俊連射幾箭都不著，他生怕梅花鹿逃進樹林中，死命追趕，那馬却偏偏不能超過鹿的速度。眼看前面眞的現出一座叢林，韋俊急起來，又射一箭，仍不著。正在失望之際，草叢中突然飛出一鏢，正中梅花鹿的後頸。那鹿四蹄掙扎幾下，倒在一棵樹下不動了。韋俊看在眼裏，高喊：「好鏢！好鏢！」

這時，只見草叢中走出一個三十多歲的漢子，背上背著一個藍布包，面帶微笑地朝韋俊走來。韋俊下馬，對著漢子大聲說：「兄弟，了不起，你眞是一個神鏢手！」

那漢子客氣地說：「將軍誇獎了，這只是偶爾碰中而已。將軍身後獵物這樣多，才眞正是神箭手哩！」

韋俊見漢子身懷絕技而如此謙遜，甚爲敬重，雙手提起死鹿，說：「兄弟拿回家去吧，光這對鹿角就可以賣得百把兩銀子了。」

漢子忙推開死鹿：「將軍說哪裏話！這頭鹿明明是將軍的獵物，小人豈敢妄取。」

韋俊心裏愈加敬佩，懇切地說：「兄弟，看你這身打扮，也不像有錢人，這頭鹿拿回家去，可以保一家人幾個月的伙食，但對我來說，可有可無，你就不必推辭了。」

漢子說：「小人孤身隻影，無家無室，用不著拿死鹿去換銀子。若是將軍硬不肯受，我和將軍將此鹿馱回城裏，一起獻給韋將軍如何！」

韋俊一驚，問：「你認得韋將軍？」

「不認得。」

「那你爲何要送給他呢？」

漢子笑道：「小人久聞韋將軍是天國的名棋手，小人一生只好下棋，特到池州府來找韋將軍對局，這頭鹿正是一個見面禮。煩將軍帶路，引我去拜見韋將軍。」

韋俊高興起來，問：「兄弟叫什麼名字，何處人氏？」

漢子答：「小人叫米福，湖廣人，多年來浪迹江湖，以棋會友。」

韋俊滿臉堆笑地拉起米福的手說：「兄弟，我就是韋俊。今日眞是天父安排我們在此見面。」

「您就是韋將軍，小人有眼不識泰山，剛才多多冒犯。」米福剛要下跪，韋俊一把拉住。二人說說笑笑，一起進了池州府。

韋俊吩咐宰鹿款待米福。杯盞之間，韋俊知道米福不僅精於鏢法，且於拳劍刀棍樣樣精熟，十分喜愛。吃完飯後，又特意留住米福下圍棋。米福從藍布包裏取出一盒圍棋來，韋俊立時被棋盒上那條穿雲破霧的銀龍所吸引。米福打開棋盒，取出幾粒子來。韋俊接過棋子，摸摸掂掂，眼中射出驚奇的光彩。

「米福，你這棋子非比一般，不是尋常之物啊！」韋俊出身豪富，見多識廣，雖說不出此棋的許多佳處，但見其色澤質地，已知它的價值。米福湊過臉去，小聲說：「不瞞將軍，這盒棋是前明朝中的御用之物。」

「噢！」韋俊又拿起幾枚棋子，細細摩挲，瞪大雙眼看著，「怎麼會到了你的手裏？」

「將軍，容米福日後慢慢稟告。久聞將軍乃義軍中圍棋高手，今夜陪將軍下幾局如何？」

韋俊心想，他不告訴我，也許是不服我的棋藝，今夜就請看看我的手段吧！

二人不再說話。紋枰對弈，靜觀默思，四周一片闃寂，唯一的響聲，是棋子叩在木盤上所發出的鏗鏘聲音。韋俊的棋藝，使米福心裏稱讚不已；而米福，則更使韋俊暗自佩服嗟嘆。三局下來，韋俊一勝二負。他爽快地承認輸了。

「哪裏，哪裏！將軍運子，出神入化，今日偶失一局，豈能輕言「輸」字。若將軍有興趣，明晚再下如何？」

「最好，最好。」韋俊高興地說，「你若不嫌棄，就住在我這裏。你這身武藝，池州府裏少有人可及。過幾天立了軍功，我提拔你做師帥、軍帥。」

原來這米福就是康福。他與楊國棟二人帶著幾個親兵，奉曾國藩之命，悄悄來到池州城外，已有些日子了。那天窺視韋俊外出打獵，便尾隨其後，伺機行動，恰巧梅花鹿幫了忙。康福跟隨韋俊進了城，楊國棟帶著親兵仍住城外。親兵早晚進出，與二人互通聲息。

康福在韋俊主將衙門一住半月。白天與韋俊一起講兵法，談武藝，巡視防守，夜晚二人閉門對弈。韋俊十分器重康福，康福亦百般曲奉韋俊，二人成了莫逆之交。康福有心，常趁韋俊不在的時候，細細瀏覽太平軍的往來文書。當時太平軍的文書檔案管理不嚴密，在外帶兵的將領就更散漫。康福恰恰鑽了這個漏洞。不久，康福把這些情況都了解得一清二楚了。池州城外，楊國棟密切配合著，再次施展他的亂眞絕技。

這天深夜，一個前胸綉有「兩司馬」字樣的精幹信使，叩開了池州府東門，一溜烟直奔主將衙門，看上去一副千里奔馳、風塵僕僕的模樣。此人將一封印有雲朵飛馬的信函，交給主將衙門的親兵。這種印有雲朵飛馬的信函，在太平軍中喚作雲馬文書，是一種特急的重要文書。各驛站接到這種文書後，不管白天黑夜，刮風下雨，都要加蓋印章，立即投到下一站。親兵見信函上蓋著沿途二十幾個驛站的印章，一一驗證無誤，便開了一個回條。那兩司馬接過回條，拔馬便走，並沒有留下一句話。

親兵將雲馬文書送到韋俊臥房。臥房裏燈火明亮，韋俊正在與康福聚精會神地對弈。他離開棋枰，將文書放在燭火邊，慢慢地化開膠封，從中取出一張紙來。一會兒功夫，韋俊的臉便變了色，呆站著，好久回不過神來。康福將這一切都看在眼裏，輕輕地走過來，關切地問：「這麼夜深了，哪裏來的信件？」

「天京來的。」韋俊回過頭來，神色憂鬱。

「有緊急軍情？」康福試探著問。

「要我火速回京。」韋俊的聲音不太自在。

「將軍在外日久，回京住幾天也好。」

「兄弟，你哪裏知道，此番回京，就會被人囚禁，再也出不來了。」韋俊的面容更沮喪了。

「這是怎麼回事？」康福大驚。

「兄弟，你也不是外人，你看看，可千萬不要傳出去。」康福接過雲馬文書來，看上面寫著：「遵天王聖諭，著左軍主將韋俊，立即回京述職，不得延誤。」下鈐一長方形雲龍邊紋印：欽命文衡正總裁開國精忠軍師頂天扶朝綱干王洪仁玕。下面蓋著一顆三寸見方的大印：旨准。

康福看畢，把雲馬文書放到桌上。二人都無心再下棋。康福問：「韋將軍，文書上並沒有囚禁的意思，你何必如此焦急。」

「兄弟，你不知道這中間的底細。」韋俊嘆息道，「丙辰六年十一月，我困守武昌孤城四個多月後，終因糧盡援絕，不得已退出。事隔三年多了，前陣子風聞干王要追查責任，懷疑我是因兄長被誅而有意放棄武昌，要我回京向天王陳述戰事的經過。」

「有這等事！」康福驚道：「小人在江湖上，到處聽說將軍功高蓋世。天國三克武昌，有兩次的指揮者便是將軍。論功勞，天國將官中難找得到幾個；況且事過三年，還提它作甚！這干王何以非要與將軍過意不去。」

「究其實，也不是干王的主意，完全是天王長兄信王、次兄勇王有意陷害。韋氏家族只剩我和以德二人，以德年幼不更事，信王勇王必欲置我於死地而後快。」韋俊木然坐在棋盤對面，憂心忡忡。

「將軍，不是小人多言，陷害將軍的，名爲信王勇王，其實就是天王。天王對將軍一家太不公道了。」康福滿腔義憤地站了起來，「小人聽人說，北王當年與天王結爲異姓兄弟，毀家起義，全家老小一百餘口都加入了義軍，從金田打到天京，戰勝攻取，出生入死，其功不在東王之下。東王逼天王封萬歲，當時北王正在江西督師，天王手詔北王、翼王、燕王回京勤王。北王殺東王，乃奉詔行事，名正言順。誰知事情鬧大了，天王卻諉過於北王燕王，殺二王來平息內亂，這已是大大的缺德。爾後，又定東升節，封幼東王，而將北王亡靈打入地獄，使天國數十萬兩廣老弟兄心寒齒冷。如此天王，豈不太自私殘忍？」

康福這幾句話，說到韋俊的心坎裏去了。他熱淚盈眶，甚爲感動，以手示意康福坐下來，小聲點。康福坐下，壓低聲音繼續說：「現在，他以爲清妖江南大營潰敗，天下坐穩了，又要來算計將軍了。天下有這樣的道理嗎？將軍，依小人看，這天王早已不是金田起義時期的傳道先生了，他煞費苦心爲洪氏一家一族謀私利，而不顧當年冒死從他起義的數十萬兄弟姐妹的利益。將軍，你心裏難道還不明白嗎？」

韋俊望著康福不作聲，多年來心裏想的，今日由康福嘴裏痛快淋漓地說出，他感到非常的舒心。

「天國誰人不知王長兄次兄庸劣貪鄙，翼王就是被這兩個小人排斥出京的。但天王偏偏要封他們爲王。最近又封恤王、對王，都是洪姓子弟。洪仁玕來京不過一月，天王不顧滿朝文武反對，便封他爲軍師、干王，總理朝政。一個未立寸功的白面書生，憑什麼瞬息之間就一人之下、萬人之上呢？還不是憑一個洪字。我前陣子在天京，聽人說，天王進小天堂八年之間，只到過東王府一次，足不出王宮一步，終日在後宮淫樂，不管朝政。如此昏憒的君王，將軍值得爲他效忠嗎？」

「兄弟，你不知道，當初起義時，我們韋氏全族人都起過誓的，決不背叛教義，決不背叛天王，我們不能違背自己的誓言呀！」韋俊面色痛苦，看得出內心正在進行激烈的鬥爭。

「哈哈哈！」康福放肆地笑了起來，韋俊忙用手捂住他的口。

「將軍也太忠厚了。你們韋氏家族宣誓不背叛天王，天王却背叛了韋氏家族。這幾年來，他從來沒有眞正相信過將軍。前年任命將軍爲左軍主將，乃是迫不得已。現在稍一穩定，便露出眞面目了。將軍想過沒有，五軍主將，其他四人都已封王，唯獨將軍例外。將軍受此冷落，有何威望去統帥士卒？有何顏面對待韋氏父老兄弟？」

這一句話，深深地刺痛了韋俊的傷心處。他的心在汩汩流血，他的四肢在陣陣抽搐，好半天，他才從極度悲痛中甦醒過來。「兄弟，你眞是一個有血性、有見識的好漢，干王的這道命令，你說我該如何處理？」

「不理睬！」康福不假思索地回答。

「天國軍律：違令者斬。」韋俊搖搖頭。

「學翼王，另樹一幟！」康福很快指明第二條出路。

「人數太少，難成氣候。」韋俊又搖搖頭。

「再不然，改換門庭，投靠朝廷。」康福想了想，說。

「兄弟，你怎麼說出這種話來？」韋俊驚恐地瞪起眼睛，死盯著康福。

康福輕輕地一笑：「這也不行，那也不行，難道束手待斃，做一個千古不瞑目的冤死鬼不成？我看只有這一條路了：棄暗投明！」

「你！」康福「棄暗投明」的話引起了韋俊的懷疑，他虎地站起，陌生人似地將康福上下仔細打量一番，厲聲問，「你是不是曾國藩派來的奸細？」

「將軍，你說對了。」康福坦然地說，「我不叫米福，我是曾國藩曾大人麾下親兵營營官康福，特來為將軍指出光明大道。」

韋俊大驚失色，猛地從牆上抽出佩劍來，指著康福怒喝：「大膽清妖，你竟然鑽到我的衙門裏來了，老子砍了你！」

康福神色自若地說：「韋將軍，你砍了我，就能救你的命嗎？依我看，它不但不能挽救你，反倒加重了你的罪責。」

韋俊的手軟下來，頹然倒在椅子上。

「韋將軍。」康福換上了平和的語調，懇切地說，「請你息怒，暫且不要理會我的身分，你冷靜想一想，我剛才說的這些話對不對？」

韋俊不作聲。康福繼續說下去：「韋將軍，你那天不是問我，圍棋是怎樣到了我的手嗎？我今天告訴你吧！我一個普通老百姓，哪有可能得到前明御用之物。這副圍棋是曾大人的，當今皇上親手賞賜與他。他久慕將軍棋藝，特地要我將這副棋子送給你，和你交個棋友。」

「有這事？」韋俊十分驚訝。

「曾大人思賢若渴，惜才如命，將軍不只是棋藝受曾大人器重，曾大人更欽佩的是將軍帶兵打仗之大才。」

「我打死他手下第一號大將，他不恨我？」

「哪裏的話！曾大人正是從此看出將軍超羣的才能，他特地要我向將軍致意，若將軍獻池州府投奔朝廷，曾大人將奏請皇上，授將軍總兵銜。」

「這怕是不可能吧，我的軍隊殺死湘勇何止千百，他曾國藩能不記仇？」

「曾大人想的是國家大局，從不計個人恩怨，不信，請將軍看這個。」康福說著，從藍布包裏取出一副字來，「這是曾大人送給將軍的。」

韋俊展開。這是一張條幅，上首寫「韋俊將軍兩正」，下首題「滌生曾國藩」。旁邊一枚鮮紅的印章，襯出兩個淸晰的白文：滌生。中間題著一首七律：

聖主中興邁盛周，聯翩方召並公侯。
神威欲挾雷霆下，大業常同江水流。
漢祖曾聞韓信勇，唐宗亦賜尉遲裘。
凌烟台閣方新構，杞梓楩楠一例收。

字跡剛勁謹嚴，韋俊以前見過曾國藩的字，知不是僞造。他捲起條幅，許久不說一句話。康福在一旁耐心等著，慢慢地將棋子收好，裝進紫檀木盒裏，雙手遞給韋俊說：「將軍不必急，再從長計議，這盒棋子和字請收好。曾大人要我多多致意，他願意和將軍交個棋友、詩友。我走了。」

康福說罷，邁步向門口走去。

「等等！」韋俊叫住，「康營官，這是件性命攸關的大事，不能有半點馬虎，我一直聽的只是你一面之詞，並沒有見過曾大人的面，叫我如何拿得定主意！」

「將軍要見曾大人？」康福興奮地說，「那容易，我陪將軍去！」

「不！」韋俊擺手，「讓以德跟你去吧！」

「也好！不過，」康福說：「以德是將軍的侄子，將軍對他的生命安全，可能會不放心。這樣吧，我留在將軍身邊作人質，另外再安排人陪小將軍去如何？」

「那太委屈你了！」韋俊顯然被康福的誠意所打動。

第二天，楊國棟陪著韋以德離開了池州府。池州府距祁門不到三百里，騎馬一天的路程。第三天，楊國棟又陪著韋以德興高采烈地回到了池州。以德向叔父敍述了曾國藩如何地傾心仰慕，如何地推誠相待，並答應韋俊手下的八千子弟兵，仍全部歸他統帶，不撤不換，這點最讓韋俊放心。以德又帶來了曾國藩贈送的兩件禮品：六兩長白山人參送給韋俊，一斤洞庭藕粉送給以德，均爲御賞。韋俊大爲感動。

過幾天，韋俊帶著侄兒和幾個親信部將，由康福、楊國棟陪同，來到祁門拜見曾國藩，將那頭梅花鹿的角制成的一架鹿茸作爲晋見禮。曾國藩樂呵呵地收下了。與太平軍交戰八年了，他們的許多底細都弄不清楚，韋俊是第一個投降的高級將領，且於打仗很有一套，在詢問了一些有關當年內訌和現在天京政權的事後，曾國藩著重打聽太平軍的戰術。

「韋將軍，聽說你們守城很有一套。」曾國藩和氣地笑著說，儼然一個寬厚慈祥的長者。

「回稟大人，」韋俊欠身答，「我們守城有句話，叫做守險不守陣。即精銳人員不聚在城內，而在城外要塞守御。比如守武昌時，就在花園、蝦蟆磯築壘；守安慶，則在集賢關築壘。」

曾國藩一怔，看來安慶的要害在集賢關。這眞是一句至關重要的話。

「你們慣用的陣法是什麼？」曾國藩又問。

「常用陣法有四種。」爲討曾國藩的歡心，韋俊滔滔不絕地詳細談開來，「一是牽線陣。行軍時隊伍按一條線行進，有敵情時，首尾蟠屈勾連，頃刻會集，互相救援。二是螃蟹陣。三隊平列，中隊人少，兩翼人多，形似螃蟹，可以隨時變陣迎戰。三是百鳥陣。以二十五人爲一小隊，全軍分成數百個小隊，散布如散星，使敵驚疑，然後突然進攻，常可取勝。四是伏地陣。在遇敵追到山窮水盡的地步，忽一旗偃，千旗齊偃，轉瞬間全軍都貼伏地上，寂不聞聲；然後一旗舉，千旗齊立，全軍從地上爬起，按旗號指點，如風湧潮奔，向敵軍反撲，轉敗爲勝。」

曾國藩心裏暗暗吃驚：原來長毛並不簡單，從前總以烏合之衆視之，難怪常常吃敗仗。百鳥陣、偃旗陣，不見於前人兵書中，眞是了不起的創造。曾國藩表面上沒有任何變化，繼續問：「還有一些什麼方法？」

韋俊竭力思索，想了一會，說：「以前我們常用的，還有以進爲退的戰術。每當要撤離一地時，必連日出隊，打仗不息，前進幾十里，逼近敵營下寨，使敵不疑。到了布置完備，忽然一夜之間安全撤退。當撤退時，必在城牆上或立草人，或立木樁，上頂竹帽；白天遍插旌旗，晚上虛張燈火。」

曾國藩想起那年石達開一夜之間撤離南昌時，正是用的這個戰術，心裏說：「這些個長毛，決不可等閑視之。」

談了這些大事後，韋俊又對曾國藩談了些太平天國內部的繁瑣稱謂，如天王的話稱聖諭，東王的話稱誥諭，翼王的稱訓諭，英王的稱金諭，干王的稱寶諭，勇王的稱瑞諭等；又如王長女稱天長金，二女稱天二金，丞相子稱丞公子，丞相女至軍帥女皆稱玉，師帥女至兩司馬女皆稱雪等等。曾國藩和衆人聽了哂笑不已。

此時，陳玉成正率兵五萬來救安慶，曾國荃向祁門告急。曾國藩命韋俊率所部渡江援安慶，另派湘勇進駐池州。

待韋俊離開祁門後，曾國藩叫彭壽頤將韋俊所談的加以整理，題名叫「長毛戰術」，謄抄十多份，分發給湘勇主要將領。又派人將李鴻章獻的安徽分府地圖給曾國荃送去，另附一封密信：

茲派降人韋俊帶所部前來援助。此等賊匪，逼迫無奈才降我，其性反復無常，終不可重用。然分化瓦解，自古以來爲制勝良策，望弟善於運用；且此輩久在賊中，深知賊情，用之制賊，可謂以毒攻毒，要害在嚴加駕馭也。韋俊之部，宜放在前沿打四眼狗之援軍，令其火併。另據韋俊供稱，安慶之賊，精銳在集賢關，切切注意。

六　施七爹壞了總督大人的興頭

曾國藩一到祁門，見四周山勢陡削，與外界相連的僅一條東通休寧、徽州，西聯景德鎮的官馬大道。除此之外，有一條小路，勾通北面的兩個小鎮：大赤嶺、大洪嶺；另有一條小河，名叫大共水。大共水發源於祁門，南下經浮梁、景德鎮流入鄱陽湖。河面狹窄，只能浮起坐兩三個人的小船，貨船不能進來。這裏人烟稀少，土地貧瘠，倘若東西方向的官馬大道被堵，與外面的聯繫一斷，縣城則陷於絕境。曾國藩後悔不該匆匆將駐紮祁門的決定上報朝廷，但事已至此，只得暫時住下。不久，實授江督並任命爲欽差大臣、督辦江南軍務的上諭到達，曾國藩更覺要老成持重，決策不能隨意更改。但幕僚們不以爲然，紛紛勸他離開祁門，另覓合適之處，曾國藩不聽。因爲馬匹買不齊，馬隊暫不能建，李鴻章也跟著到了祁門。他用了兩天時間，將祁門四周實地勘察一遍，對曾國藩說：「恩師，祁門地勢形同釜底，此兵家所說的絕地，不如及早另擇他處，以免將來受困。」見曾國藩沉吟不語，李鴻章又乘勢再進言，「依門生之見，可移師東流。此地傍江依山，可進可退，可攻可守，老營駐紮東流，萬無一失。」

曾國藩仍撫鬚不語。李鴻章忖度曾國藩心思已活動，話說得更直了：「恩師，倘若長毛聞訊圍攻祁門，只須數千人就可將出路堵死，我們將成甕中之鱉，束手就擒。」

曾國藩撫鬚之手突然停住，兩目光芒畢露，厲聲責問：「少荃，你如此厭惡祁門，是不是膽小怕死？若如此，你可收拾行李離開這裏。煩你轉告其他人，凡怕死在此地的人，都可及早離開。」說罷拂袖而起。李鴻章只得訕訕退出。從那以後，再沒有人敢提撤離祁門的話了。

曾國藩將祁門柴氏宗祠改作總督衙門，開始辦理兩江政務。他日夜審閱江蘇、安徽、江西三省地方報送的文書，並分派幕僚，秘密考察三省府道以上官員的政績，親撰楹聯一副：「雖賢哲難免過差，願諸君讜論忠言，常攻吾短；凡堂屬略同師弟，使僚友行修名立，乃盡我心。」要各府州縣將此聯書寫在官廳楹柱上，時時以此自戒。又刊發《居官要語》一篇給各級官吏，要求他們嚴格遵照執行。又親擬一份告示，標題為《曉諭江南士民》，雕刻成版，廣為印刷，張貼在集市、街衢、碼頭上。這個告示共有六條：一禁官民奢侈之習；二令紳民保舉人才，以兩江之才，平兩江之亂；三是安頓流徙，恤難濟貧；四是求聞己過，凡軍政過失，許據實直告；五為旌表節義；六爲禁止辦團。三省官吏，見這位威名久播的新總督果然厲害，無不畏憚，官場腐敗之風略有收斂。

曾國藩又仿效武則天當年的辦法，在衙門口置一木櫃，名爲舉劾箱，命兩個勇丁終日守護。號召所有軍民人等，均可將各級官吏奸弊情事寫成舉劾函投入箱內，總督衙門對舉劾人嚴加保護。曾國藩這一舉動，使祁門附近幾個縣的官吏們整天提心吊膽。他們平日奸弊情事太多了，一旦落入這個素有「曾剃頭」之稱的總督大人手裏，後果豈敢設想！祁門縣令包人杰，捐納出身，自稱是包拯的三十五代孫，其居官却與先祖大相逕庭，貪贓枉法，魚肉百姓，祁門全境怨聲載道。這些天，他見曾國藩派員在三街六巷查訪民情，急得猶如熱鍋上的螞蟻，惶惶不可終日。

這天夜裏，包縣令換上青衣小帽，準備去北門外找一個人求教。此人年過七十，人喚施七爹，施七爹二十歲起在縣衙門做事，一生給十多個縣令當過幕僚，在衙門裏整整混了四十八年，是一個更事極多、經驗極豐富的刀筆吏。這兩年養老住在縣城，包縣令每有難事，便帶著一份禮物去請教。禮物厚薄，視事之難易而定。施七爹接過禮物，往往沉思一會，然後說出主意來，包縣令照此去辦，幾乎件件順遂。

包縣令從錢櫃裏取出一個二十兩元寶，小心翼翼地放進袖口裏，謹愼地鎖好錢櫃。剛落鎖，他想到今日此事關係太重大了，一個元寶可能會嫌少，又把鎖打開，再取出一個同樣重的元寶，仔細看好，放進袖口，這才出了門。施七爹見包縣令恭恭敬敬地送上兩個元寶，樂得透體歡喜。凝神聽完陳述後，他抱著一杆長烟筒，石雕泥塑似地靠在椅背上，長時間沉默不語。包縣令耐心地等著，大約過了半個時辰，施七爹想出了一個主意。

第二天晚上，守護舉劾箱的湘勇將一大疊信函送到曾國藩書案上。像往日一樣，他依次將最上面的一封信拆開，準備每一封信都親自看一遍。誰知這一封信剛讀了幾行，便大爲驚駭。這封信舉劾的不是別人，正是他自己。信上說，曾國荃打下吉安時，偷運了二萬多兩銀子回荷葉塘買田起屋，據說此事是曾國藩授意的。曾國藩額頭上沁出了汗珠。他心中知道，沅甫的確運了不少銀子回家，但並非是他授意的。不過，作爲大哥，作爲主帥，沅甫做的這種事，他能逃脫責任嗎？曾國藩將這封信鎖進竹箱裏，繼續看下去。

第二封舉劾的是鄒九嫂乘丈夫外出之時，偷了一個野漢子在家，請官府速派人前去捉奸，以正風俗。曾國藩看後冷笑一聲，順手丟在一邊。

打開第三封，他又驚呆了。這封信又告到他的頭上來了。說他自辦團練以來，打仗無功，爭權有術，所辦的事情，大多違背國法，不通情理，舉了在贛北設厘卡一事爲例。曾國藩皺起掃帚眉，把這封信也鎖進了竹箱。

他已無心一封封細看了，略微瀏覽了一下：十幾封舉劾函，有一半是告的鄉間小偷流氓、打架通奸等瑣碎細事，另一半告的是駐紮祁門的湘勇官丁的不法情事，涉及地方官吏的，一封都沒有。這一夜，曾國藩興味索然。

第二天送來的十幾封，也差不多全是鷄毛蒜皮的小事。第三天也有七八封。打頭一封，便讓曾國藩心驚肉跳。這封函告曾國藩私通長毛，與長毛左軍主將韋俊私訂密約，伺機造反；並有根有據地指出他的不臣之心多年前便已萌發，舉了幾句詩爲證。說他曾寫過「竟將雲夢吞如芥，未信君山剗不平」的詩句，這裏的「君山」就是暗示朝廷。又有「我思竟何屬，四海一劉蓉；他日予能訪，千山捉臥龍」的五言詩，劉蓉既然是諸葛亮，他曾國藩無疑是當今的劉先生了。

曾國藩氣得火冒三丈，狠狠地想：這一定是有人在與我作對，藉機誣陷，非得把這些人查出來不可。轉而又想：如何查呢？不是自己號召別人舉劾的嗎？舉劾別人可以，舉劾你自己就不行嗎？倘若此事鬧大了，傳到朝廷上去，皇上派人來調查，這些是是非非、眞眞假假的舉劾函一旦公之於世，豈不反而壞了大事！曾國藩趕緊從竹箱裏取出前兩天那些告他和九弟、滿弟的舉劾函來，點起火一把燒了。思量此事只能不露聲色地悄悄平息，方是上策。過幾天，恰好寧國府告急，曾國藩便藉口軍情緊急，無暇閱覽為藉口，吩咐勇丁將舉劾櫃撤了。

這裏，包縣令見大難躲過，心裏好不暢快，又暗地送給施七爹一匹緞子，囑咐他千萬千萬不能洩漏出去。

寧國府的告急是鮑超派人送來的。就在陳玉成出兵援安慶的時候，羅大綱、周國虞懷著對叛徒韋俊的不共戴天之仇，帶領一萬精兵奇襲池州府，一舉收復，打亂了曾國藩的軍事部署。李秀成率領十萬人挺進贛北，與正在浮梁、景德鎮一帶的左宗棠楚軍激戰。李世賢則帶領七萬人馬將寧國府城團團包圍。鮑超霆字營有一萬人，但駐在城裏的只有三千，其他七千分紮在城外百十里地方。鮑超一面飛調城外兵馬來救援，又要隨身書吏給曾國藩寫一封求援書。

書吏受命，關起門來擬稿。鮑超忙布置城內兵勇加强防守。過一會兒，鮑超匆匆趕回衙門，高喊：「求援書發了嗎？」

書吏畢恭畢敬地回答：「回稟鮑提督，求援書尚未寫好。」

鮑超一聽火了，罵道：「十萬長毛圍在城外，大火已燒到眉毛屁股上，你做啥去了？這麼久還沒寫好！」

書吏忙說：「鮑提督息怒，這就寫好，就寫好！」

說完，坐在文案邊托腮構思。鮑超看得不耐煩，走上前去怒斥：「你這個書呆子，什麼時候了，還調文墨？老子寫給你看。」

鮑超奪過書吏手中的筆，在紙上畫了一個方框框，然後心急火燎地在方框外畫了幾十個小圓圈，看看還不甚滿意，便又在方框裏寫了個東倒西歪的「鮑」字，這才放下筆，高喊：「來人啦，把求援書給曾大人送去！」

那書吏在一旁直覺得好笑，却又不敢笑出聲來。

鮑超的求援書送到祁門，引起督府幕僚的哄堂大笑。曾國藩也笑了起來，笑後稱讚說：「鮑春霆人聰明，這幅畫生動簡明，勝過文字多了！」

急命朱品隆帶三千人前去寧國救援。朱品隆剛走，徽州知府又來告急。曾國藩一時不知調何人去爲好。正在爲難之時，一人走了進來，說：「徽州是我的屬地，你怎麼不派我去救援呢？」

曾國藩一見樂了，心裏說：「慚愧，我怎麼竟忘了他！」

七　李元度丟失徽州府

原來，自請援救徽州府的是平江勇統領李元度。李元度咸豐四年起跟隨曾國藩南征北戰，功勞不小。尤其是咸豐五六年間，曾國藩在江西處於困境時，李元度平江勇簡直成了他的擎天之柱。但曾國藩竟然不保李元度一職，李元度心中不滿。曾國藩回籍守喪後，杭州知府王有齡利用李元度的不滿，和他拉上了關係。羅遵殿死後，王有齡升任浙撫，保李元度爲溫處道道員。直到看見朝廷發來的咨文，曾國藩才知道這事，對李元度很不以爲然。他把李元度召到祁門，明確告訴他，王有齡此舉，目的在分化湘勇；而李元度投靠王的門下，也有背叛湘勇之嫌。李元度意識到問題的嚴重性，又見曾國藩已實授江督，也沒有必要改換門庭，遂答應不去浙江。於是曾國藩奏請改授李元度爲安徽徽寧池太廣道道員。上諭批下來後，李元度便把平江勇帶到祁門，作爲祁門老營的拱衞之師。

這時，曾國藩對李元度說：「你去最是名正言順。徽州乃皖南大城，又是祁門的屏障，長毛打徽州，是想衝破這道門，竄進祁門來，守住徽州意義重大。張副憲防守徽州幾年，雖說沒有打什麼勝仗，但也沒有丟失，你千萬不要把它丟了。」

「你放心，長毛撼山易，撼平江勇難。有平江勇在，徽州城決不會缺一個角。」

曾國藩見他說得如此輕巧，反倒不放心他去了，但眼下實在再調不出其他人，只得正色對他說：「此次圍徽州的是長毛的精銳部隊，你不可小覷。按理你帶勇多年，我不用多叮囑，但徽州府關係太大了，我不得不和你約法五章。你做得到就去，做不到可不去，我再另外擇人。」

李元度心裏大不悅，說：「哪五章？你說吧！」

「第一戒浮。你身邊有不少書讀得好，但無打仗經驗的文人，對其中那些好說大話者，決不可重用。第二戒自負。到徽州後，切莫自視過高，師心自用。第三戒濫。銀錢的使用，立功人員的保舉，都要有所節制。第四戒反覆。為統領者切忌朝令夕改。第五戒私。用人當為官擇人，不可為人擇官。」

曾國藩的這五章，章章都是針對李元度的弱點而言的，李元度卻一句也聽不進。曾國藩剛說完，他便拍著胸膛說：「你也不必多說了，我立個軍令狀吧，徽州府倘若丟失，你唯我是問！」

「好，一言為定！」曾國藩伸出手，對著李元度的手碰了一下。

「滌生兄，前幾天我送給你的《國朝名臣言行錄》，你看過沒有？」剛走出門，李元度又回過來問。

「哦，看過了。正要璧還，一下子又忘記了。」曾國藩從一個較小的竹箱裏取出一大疊稿紙來，把它遞給了李元度。「你的這部稿，廣採博集我朝名臣嘉言懿行，厚世俗，正人心，異日刋印出來，必是一部極好教材。我先向你預訂兩百部，發給兩江州縣以上官員人手一册，如何？」

得到曾國藩如此青睞，李元度剛才的不快消散了許多。他高興地說：「滌生兄，你是文章老手，指點指點，讓我修改得更好些。」

「要說指點，有一條倒不知肯聽麼？」曾國藩笑道。

「請說！」

「你的書，局面太窄了。那些山林隱逸，前代遺民，以及姓名不登乎仕版，而節義可愧彼王侯者，被你「名臣」一詞排斥在外了。我想你不如改個名，叫做《國朝先正事略》。如此，剛才所提的那些人，便都可以進來了。你看如何？」

「最好，最好！」李元度拊掌大笑，「就按你的辦。」

「好！那我再多訂一百本。」曾國藩大笑起來。

徽州府是一個歷史悠久的文化名城，又是皖南五府州的經濟中心，歷來以牌坊衆多、石雕精美聞名於世，城內匠人製的紙、筆、墨、硯，最受讀書人看重，尤其是徽墨，與湖筆、端硯、宣紙並稱，號爲文房四寶中的佳品。都察院左副都御使張芾在徽州駐防六年，上個月奉召回京，後回陝西涇陽原籍補持服，留下一萬四千兵在徽州。按理說人員不少了，但這些兵已有五個月未領到餉銀，軍心浮動，不但不能打仗，反而成了徽州城的禍根。知府譚慕白不能統御，聞李世賢的兵已到寧國，慌忙向曾國藩告急。李元度的平江勇開進徽州城的第二天，羅大綱、周國虞率領四萬人馬就到了城門外。謀士們提醒李元度，缺餉五個月的綠營不可信任，城門不能讓他們守。李元度認爲很對，立即將東南西北四個城門的綠營守兵全部調走，換上他的平江勇。被換下的綠營士兵，都作爲苦力去扛彈藥、擔磚石、運糧草。本已懷著滿腔怨怒的綠營官兵，這下如同火上加油，紛紛罵開了：

「平江勇憑什麼趕走我們？我操他祖宗！」

「都是爲朝廷賣命打長毛，他媽的湘勇個個發橫財，我們五個月沒領到一文錢，這個世道還有公理嗎？」

「反了吧，老子不爲朝廷賣命了！」

有一個楞頭小子帶頭，居然跟著一百來號人，光天化日之下，公然搶劫銀庫，譚知府嚇得躲在臥室裏瑟瑟發抖。李元度大怒，調集八百平江勇將鬧事的綠營士兵抓起，不分情節輕重，一律殺頭，暫時將變亂彈壓了下去。徽州城裏的這場騷亂，早已被太平軍的細作報告給城外的羅大綱和周國虞。

「湘勇綠營結仇，正是我們破城的好機會。」羅大綱面有喜色。

「綠營有怨氣，湘勇有傲氣，有怨氣則無鬥志，有傲氣則必鬆懈，我們可採取收買和强攻相結合的辦法。」周國虞已成竹在胸。

羅大綱點頭。周國虞繼續說：「據說綠營副將徐忠是一個貪財好貨的人，叫老三進去，送給他三百兩黃金，叫他在城內發難，只要打開一個城門就夠了。」

羅大綱贊同這個主意。

夜晚，在徐忠的面前，周國賢亮出了自己的身分和三百兩光燦燦的黃金。徐忠又喜又怕。他知道，徽州綠營憋著一股對朝廷的怨氣，現在又加上對李元度的憤怒，軍心早已渙散，只要長毛重兵一壓，城內就有可能嘩變。這些兵痞子，危急之間，是什麼事都可以做得出來的，徽州城早晚保不住，不如得了這筆金子，城破之後遠走高飛，埋名隱姓，做個下半世快活無比的富翁。但做這種事，他心裏總還有些膽怯，猶豫了好半天，才咬咬牙答應了。他召集親兵營的都司和幾個千總、把總商議，每人發了十兩黃金。這些都司、千、把總二話沒說，都同意幹。約好以放炮爲號，親兵營的人左臂上都繫一根帶子，太平軍見此記號不能殺。

徐忠與周國賢的密謀策劃，李元度全然不知。他見綠營兵這些天未再鬧事，以爲嚴刑鎮壓起了作用，又見城頭上兵勇都在忙忙碌碌地備戰，他放心了。嗜好名山事業的李元度關起門來修改他的《國朝先正事略》，並打算還寫一部《歷代先正事略》，洋洋洒洒，寫它一百萬字，好比太史公作《史記》一樣，從盤古開天地寫起，一直寫到明末，將所有卓異人物的事迹，凡可考查的，都查出來。這兩本書今後一併刊印，播於海內，垂之後世，李元度之名，也將永垂不朽了。他越想越興奮。

這一天，突然傳來消息：寧國府破了。李元度大吃一驚，忙將書稿收起，四處巡邏城防。原來，朱品隆帶的三千人以及霆字營分散在城外的各路人馬，根本無法進入寧國城裏，統統被李世賢的部隊堵在城外。李世賢幾次猛攻之後，寧國城裏的湘勇動搖了，鮑超亦無主張。身邊人勸他：與其城破被戮，不如殺出城去，保全力量，再糾合部隊將城奪回來，大丈夫能伸能屈，不必過於拘執。鮑超認爲有道理。城裏三千湘勇飽餐一頓，半夜時分，乘太平軍酣睡之際，衝出城門，在城外與朱品隆的援兵合爲一處，向祁門奔去。第二天一早，李世賢進了寧國府。

他留下二萬人守寧國，親率其餘五萬人幫助羅大綱、周國虞攻徽州。

九萬太平軍將徽州城團團圍住。一顆炮彈冲天而起，徐忠帶著親兵營衝到東門口，守門的湘勇嚇呆了。綠營士兵掄起刀，像報仇似地砍殺湘勇，很快將東門打開，周國虞率領太平軍弟兄們一擁而進。城內的綠營兵不殺太平軍，反而把刀尖轉向湘勇。平江勇驚慌失措，人人抱頭鼠竄，倉皇逃命。李元度見此情景，慌忙帶著一批親信從西門逃出城外。徐忠早有準備，在一片混亂之中挾著二百兩黃金溜出城，遠遠地跑了。

八　曾國藩卜卦問吉凶

徽州失守，祁門變成了前線。此時祁門的兵力，僅張運蘭的老湘營一部分及康福的親兵營，合起來不足三千，情形十分危急。湘勇老營彌漫著驚恐慌亂的氣氛，曾國藩雖恨李元度不爭氣，事到如今也無可奈何了。他一面布置張運蘭、康福率兵扼守距老營十里外的櫸根嶺、羊棧嶺，這是由東北方向進入祁門的兩道關口。一面派出兩隊人。一隊向南通報駐紮在浮梁、景德鎮一帶的左宗棠，務必保護好祁門通往江西的大道，徽州失後，這便是祁門糧餉、文書的唯一通道了；一隊向寧國方向奔去，沿途尋找鮑超，要他火速來祁門救援。

此時，太平軍正分兵三路向祁門包圍過來。李世賢帶著四萬人進入江西，擬從南面打祁門，誰知遇到了勁敵左宗棠。左宗棠在樂平城東南一連三次大敗李世賢。南路太平軍受阻，不能按預定計劃進入祁門。東面，羅大綱率二萬人穿過漁亭鎮，在櫸根嶺遇到了張運蘭的狙擊。西面，周國虞率二萬人翻過大洪嶺，在羊棧嶺遭到了康福的抵抗。太平軍的兵力在湘勇十倍以上，湘勇則占住了有利的地勢，雙方打了三天三夜，一時還沒有分出個勝負來。但是，湘勇的人數一天天減少，太平軍隨時都有可能破嶺而入。看來，祁門老營的覆沒是在所難免了。

白天，從櫸根嶺、羊棧嶺不斷傳來凶慘的喊殺聲；入夜，嶺上嶺下，到處是時明時滅的松明火把。兩江總督衙門裏那些紙上談兵的軍機參贊們，舞文弄墨的書記文案們，以及記帳算數的小吏們，雖然生活在軍營中，却從沒有親眼見過兩軍廝殺的場面，更沒有過身歷前敵的處境。這些手無縛鷄之力的文人們，一天到晚處在極度的恐懼之中，眼見得東、北兩面血肉橫飛，南面略爲安靜些，便瞞著曾國藩，互相串通，偷偷地買通了二十支小舟。每天夜晚，將一包包行李往舟上運，單等敗兵逃回，便起篙向江西方向划去。當李鴻章把這個情況報告曾國藩時，他氣得怒髮沖冠，恨不得把這些擾亂軍心的膽小鬼，一個個抓起來殺掉。但他沒有這樣做，反而親擬一個告示，叫文書謄抄後貼在營房外：

當此危急之秋，有非朝廷命官而欲離祁門者，本督秉來去自願之原則，發放本月全薪和途費，撥船相送；事平後願來者，本督一律歡迎，竭誠相待，不記前嫌。

這份告示一貼出，那些準備走的幕僚反而不好意思走了，又偷偷地把行李從小舟上搬回。對這一切，曾國藩裝作沒看見一樣，白天他照舊批文、發函、見客、下棋、讀書，安之若素，穩如泰山；夜晚，他開始清理文書，把一些重要文件包紮起來，叫荊七藏在附近山林裏，對荊七說：「倘若老營傾覆，我為國盡忠了，這些材料，你今後都要設法運回荷葉塘去，聽明白了嗎？」

荊七點頭答應，心裏早已亂成一團麻。這天深夜，曾國藩見東、北兩座山嶺烽火又起，飽超至今無消息，心想，此番必死無疑，將老營設在祁門實在是個大錯誤，悔不該沒聽李鴻章勸說，移駐東流，但現在後悔已晚。自己年過五十，官居一品，今生除學問無成就外，也沒什麼大遺憾的了。這樣一想，又平靜多了。

他先給皇上寫一封遺摺，將自己所經手的幾件大事，逐一作了安排。又給兒子紀澤紀鴻寫了一封家信，叮囑他們長大後切不可涉歷兵間，此事難於見功，易於造孽，亦不必作官，惟專心讀書，又重申八本三致祥的家教。怕他們忘記，將八本三致祥又寫了一遍：讀書以訓詁為本，作詩文以聲調爲本，養親以得歡心爲本，養生以少惱怒爲本，立身以不妄語爲本，治家以不晏起爲本，居官以不要錢爲本，行軍以不擾民爲本；孝致祥，勤至祥，恕至祥。

寫好這封當遺囑的家書後，天已朦朦發亮，看著外面蕭瑟秋景以及匆忙奔走的親兵，曾國藩的心又綳緊了。他惶惶然呆望著，不知所措。過了許久，他突然想起了什麼，叫荊七端一盆清水來。曾國藩仔細地洗淨臉和手，整理好衣冠後，端坐在案桌旁，從一個小筆筒裏拿出五十根蓍草來。他從中隨意揀了一根放在一旁，又將一根夾在左手拇指和食指之間，將剩下的四十八根任意分成兩堆，然後每四根一次地拿開，直到不能再拿時，則將兩堆合併。如此這般分分合合地擺弄了十八次，占出了一個《坎》卦來，其中九二爲老陽，上六爲老陰。曾國藩記得九二爻辭爲：「坎有險，求小得。」上六爻辭爲：「系用徽纆，寘於叢棘，三歲不得，凶。」九二爻辭無疑是句好話，上六爻辭中的徽纆，是用來捆自己，還是捆長毛呢？眞是天意渺茫，難以猜測。正在疑慮之時，康福氣息喘喘地推門闖了起來：「大人，長毛已衝破羊棧嶺防線，我保護你離開祁門。」

說話間，王荊七已將棗子馬牽過來。棗子馬大聲嘶鳴，幕僚們紛紛圍攏，大部分人的肩上都背著包袱，有的連鞋襪都未穿上。看到這一片混亂場面，卜卦給曾國藩帶來的一絲希望早已化爲烏有。他衝著荊七吼道：「誰叫你牽馬來的？你們都走吧，我今天就死在這裏了！」

「大人。」康福走前一步，「情況已萬分危急了，不走不行，請大人上馬。」

曾國藩仍坐著不動，心裏如同有千百個鼓錘在敲打，碎零零，亂糟糟。楊國棟、彭壽頤都來勸：「大人，再不走就出不去了。」

曾國藩環顧四周，見幕僚們都用哀求的眼光望著他，長長地嘆了一口氣，緩緩地說：「國棟，你帶衆人走吧，我最後離開。」

一句話剛出口，幕僚們立即如鳥獸散去，七手八脚地忙著搬運行李。曾國藩將王世全送的劍從牆上取下，放在書案上，然後穿好朝服，微閉雙眼，任外面吵吵嚷嚷，亂作一團，他木頭似地坐著，已作了最後的決定：一旦長毛衝進屋，就立即以劍自裁。康福、王荊七在一旁急得團團轉，不知如何是好。

忽然，外面傳來一陣驚天動地的歡呼聲。李鴻章興奮異常地跑了進來，大喊：「恩師大喜，鮑提督來了！」

曾國藩睜開眼睛，剛要起身，又立即坐定，仍以緩慢的口氣問：「你沒看錯？」

李鴻章正要說話，楊國棟激動萬分地衝進來：「鮑提督已殺敗長毛，來到老營了！」

老營外，一片歡呼雀躍，鮑超被衆人簇擁著，正向營房走來。見曾國藩出現在門口，立即從馬上跳下來，跑到曾國藩面前，正要行跪拜禮，曾國藩趕快走前一步，一把抱住。望著鮑超鬍鬚雜亂的黧黑面孔，他兩眼滾動著淚水，好半天才吐出一句話：「不想還有與賢弟見面的時候！」說完頭一暈，便失去了知覺。

曾國藩刷地站起，說：「我們去接春霆！」

九　李鴻章一個小點子，把恩師從困境中解脫出來

半個月來，曾國藩處於極度焦慮緊張之中，靠著頑強的意志勉力支撑住，現在驟然得知危險已過，大喜過望，猶如一根拉緊的弦猛地鬆弛，一時不能控制，倒了下來。過了一會，他恢復了常態。鮑超眉飛色舞地演說戰鬥的經過，說生平沒有打過這樣順利的仗，不到一個時辰便大獲全勝，打死了長毛頭領羅大綱，只可惜讓野人山的匪首逃跑了。曾國藩記起「徽經」的爻辭，心裏想：這怕是天數。衆人正在說說笑笑，互相慶賀死裏逃生的勝利時，南面官馬大道上遠遠地奔來一匹快馬。一眨眼功夫，那馬已跑到衆人面前，兩只炸開的鼻孔裏噴出灼人的熱氣，江西巡撫衙門的袁巡捕從馬背上滾下來，氣急敗壞地將一封十萬火急上諭遞給了曾國藩。上諭

命曾國藩速派鮑超帶五千人馬，交勝保統帶，前來北京救駕。曾國藩看後大吃一驚：京師竟然發生了這等意外變故！

早在咸豐四年，英國就提出，要對道光二十二年訂立的條約進行修改，企圖擴大在中國的特權，遭到了朝廷的拒絕。爾後，英國和法國聯合起來，在沿海一帶屢屢挑起戰爭。兩個月前，他們從北塘登陸，打敗了僧格林沁的騎兵，攻占天津，後來又擊敗勝保的部隊，逼近北京城下。咸豐帝匆匆帶著一班大臣妃嬪逃到熱河，留下恭親王奕訢在京師與英法談判。咸豐帝接受勝保的奏請，在逃往熱河的途中，接連發布上諭，令各地督撫將軍迅速帶兵來京勤王。第一道上諭，便發給湘勇統帥、兩江總督曾國藩。曾國藩接到這道上諭，一方面爲皇上蒙塵而擔憂，一方面又對派鮑超救駕而犯難。

曾國藩不願鮑超遠離。這些年來，鮑超的霆字營是湘勇中最能打仗的部隊。盡管上月有寧國之失，但鮑超之勇，仍令太平軍畏懼。在湘勇內部，甚至有打著鮑超的旗號，冒充霆字營嚇退太平軍的事。這次若不是鮑超及時趕到，祁門老營就徹底完蛋了。曾國藩器重鮑超，感激鮑超。皖南局面尚未分明，通往江寧的道路，尚需要鮑超和霆字營去掃清。這個時候，怎麼能讓鮑超遠赴京師！而且，曾國藩還看出此中埋藏著勝保的險惡用心。勝保的底細，曾國藩清楚。

這個出身於滿州鑲白旗的公子哥兒，借著皇上對滿人的特殊照顧，道光二十年中學，考授順天府教授，很快就升爲祭酒。勝保屢屢上書言事，皇上欣賞他的文采，誇他是滿人中的才子，擢升爲內閣學士。那時曾國藩供職翰林院，見過勝保幾面，讀過他的奏疏。曾國藩對勝保的看法，與皇上完全相反。他認爲勝保並無眞才實學，奏疏只有夸夸其談、譁衆取寵的辭句，並無實在的解決問題的辦法，且爲人驕横之氣太足，眉宇之間有一股陰暗的煞氣。按照曾國藩的相人之術，他斷定勝保不會有好結局。誰知太平天國事起，勝保倒走起紅運來了。

咸豐四年，勝保在直隸打敗了林鳳祥的北伐軍，皇上因此授他欽差大臣，特賜神雀刀，副將之下，有權斬殺，一時有南江(忠源)北勝之稱。不久，勝保圍李開芳於高唐，數月不克，惹怒咸豐帝，削了他的職，遣戍新疆。咸豐六年召還，發往安徽軍營差遣。七年，予副都統銜，幫辦河南軍務。勝保自己無軍隊，以重餌招降捻軍一個名叫李兆受的頭領，將他改名李世忠，又結納皖北鳳台團練首領苗沛霖，保他爲記名道員。勝保企圖以李世忠和苗沛霖的人馬作爲自己的軍隊。李世忠出身强盜，一貫打家劫舍，作惡多端，苗沛霖野心勃勃，欲作皖北王。曾國藩一到安徽，便從各方面的情報中，把這兩人看死了，因而對勝保極具戒心。

現在，勝保居然要統帶鮑超的五千霆字營，他的野心越來越大，竟敢打起湘勇的主意來了。曾國藩豈能讓他的算盤滴溜溜地如意轉動！不派嗎？這是煌煌聖旨。抗旨罪名已不輕，何況當此非常變故之際、皇上蒙難之時，抗旨不發兵，你曾國藩平時口口聲聲標榜忠君愛國，豈不都是假話？皇上都不保，你的幾萬湘勇意欲何爲？倘若勝保這樣質問，定然激起皇上震怒，天下共責，不待殺頭滅族，便早已身敗名裂，死有餘辜了。曾國藩眞的進退不是，左右爲難！

但鮑超這個莽夫，偏偏不知內中奧妙，以爲率師北上勤王，正是取悅皇上、立功受賞的大好時機，幾次三番地催促：「曾大人，霆字營全體將士聽說洋鬼子欺侮我皇上，氣得哇哇叫，罵他娘的洋龜兒子瞎了狗眼，恨不得插翅飛到京師去保護皇上。曾大人，救兵如救火，還有啥事要想的？快下令吧！」

面對著這個頭腦簡單的鮑提督，曾國藩哭笑不得。想說皖省戰局不能離開他，又怕他因此昏頭昏腦，居功自傲。霆字營本就依仗常打勝仗的資本跋扈囂張，不把其他營看在眼裏，若再翹尾巴，可能會連他這個統帥的話都不聽了。想告訴他勝保欲藉此挖空湘勇的實力，壯大自己的私人勢力，又怕這個心裏不能藏話的直漢子，將此話傳出去，日後更與勝保結下不可解的怨仇。無奈，只得用幾句話敷衍著鮑超，心裏急得如同火燒油煎，終日繞室徬徨，拿不定主意。

這天康福提醒道：「胡中丞近來駐軍黃梅，離祁門不遠，何不派人送信與他商量一下；左宗棠素有今亮之稱，也可以問問他。」

曾國藩覺得有道理，立即派人分別到黃梅、浮梁、徵求胡、左二人的意見。幾天後，回信來了。胡林翼說：「疆吏爭援，廷臣羽檄，均可不校；士女怨望，發爲歌謠，稗史游談，誣爲方册，吾爲此懼。」左宗棠說：「江南賊勢浩大，正賴湘軍中流砥柱，霆字營不可北上。」胡、左態度明朗，湘勇當全力對付太平軍，不能北上勤王。但不去，以什麼作爲合法的藉口呢？這一點，二人都沒有好的主意。

曾國藩決定廣泛徵求幕僚的意見，命他們每人就此事寫一個條陳。條陳送來了，大部分人的意見主張救君父之急，立即遵旨出兵；也有幾個條陳說按理當勤王，取勢當剿賊，按理還是取勢，由制軍獨裁。幾十張條陳閱罷，曾國藩深感失望。

「恩師，我沒有寫條陳。」李鴻章進來了，一眼望見桌上散開的一大疊紙，知曾國藩仍在爲此事發愁。曾國藩這才想起，人人都上了條陳，唯獨李鴻章一人沒上。

「你爲什麼沒有寫？」

「有些話不便寫在紙上，我想和恩師面談。」李鴻章回答。

「好吧，坐下慢慢談。」曾國藩素來喜歡和人談話。對於初次見面的人，在察言觀色的過程中，他對其人便有了一個基本認識，而這個認識，以後實際證明大半是對的。他因而有「知人」的美名。在與朋友、幕僚的談話中，他能從對方的言談中得到多方面的啓發，獲得多種知識。雖然閑談耽擱了時間，但總括來說，所得大於所失。

「恩師，門生爲此事想了很久。」李鴻章在曾國藩的對面坐了下來，兩隻手掌合著，夾在兩腿之間。這情景，使曾國藩想起過去在京師碾兒胡同裏，師生之間常常這樣對坐論學。那時，老師的年齡恰好是今天學生的年齡。「歲月過得眞快呀！」曾國藩心裏輕輕地感嘆一句。

「門生以爲，進京勤王一事，實屬空言，於皇上無半點益處。」李鴻章少年得志，鋒芒畢露，說話辦事，向來不知忌諱。這一點與曾國藩大不相同。

「少荃，你這話從何說起！」曾國藩的口氣似乎有點不悅。

「恩師，洋人已抵京城，如果他有意加害皇上的話，完全可以憑著洋槍洋炮的威力，向熱河追去。擋得住也罷，擋不住也罷，都只是三五天之內便見分曉的事，哪有從數千里之外調兵入衛的道理？這不是皇上被突然變故嚇昏了頭，便是有人要藉此奪走湘勇的五千精銳。」李鴻章的話乾脆尖銳，一針見血，曾國藩聽後心裏很痛快。

「你認爲洋人有加害皇上的意圖嗎？」學生已不是當年幼稚的書生了，老師也不自覺地放下了架子。

「門生以爲，洋人之舉，決沒有加害皇上的意思，只不過是逼皇上答應他們修約，欲占我大清更多的便宜罷了。歷來外族入侵，要社稷者難免刀兵相鬥，要金帛子女者都好辦。恭親王年紀不大，却極有辦事才能，一向對洋人禮之甚恭。依門生之見，洋人在恭王那裏可以得到所要的一切，京師再不會出現大的變亂了。」

「少荃，你說的固然有道理，但北援事關君臣大義、將帥職責。君父有難，臣子豈能袖手旁觀？洋人即使不再北進一步，我湘勇將士也應該受命入京呀！」畢竟老師的尊嚴要保持，曾國藩不能再以剛才的口氣問李鴻章。明明是希望學生提出一個兩全其美的辦法來，老師却以教訓的口吻說話。李鴻章對老師的性格是熟悉的，忙答道：「恩師教導的是，救君父之難是臣子義不容辭的職責。恩師與胡中丞，位居督撫，理應親帶湘勇前往，鮑超乃一戰將，非一面之才，且受勝保指揮，亦恐二人難以協調。依門生之見，恩師可據此再作一奏摺，請皇上於曾、胡二人中指定一人，統兵北上，護衛京畿。聖旨下達之時，立即發兵。」說到這裏，李鴻章壓低了聲音，「從祁門到京師，奏摺最快要走半個月，有半個月的時間，恭親王早已和洋人達成了協議。到那時，北援勤王一事，已是過丘之水了。」

機靈鬼！曾國藩情不自禁地在心裏說著，他對李鴻章這個「按兵請旨」計策的妙處已完全明白了，一個困惑他七八天的難題終於解開。曾國藩一陣輕鬆，笑著說：「少荃，那就麻煩你擬個摺子吧！」

奏摺拜發後的第二天，丟失徽州府的皖南道員李元度，歪頭搭腦地來到祁門。當他得知祁門剛剛度過危難之後，心中萬分內疚。他想向曾國藩負荊請罪，又怕昔日同窗不容他，便託李鴻章去試探一下。果然不出所料，曾國藩一聽便火冒三丈，大聲地對李鴻章說：「他還有臉見我，我都沒有臉見他！你問問他，還記不記得自己親手立下的軍令狀？」

李鴻章見老師正在盛怒之時，不便多說，只得輕輕退出。剛走到門檻邊，曾國藩又叫住了：「少荃，你趕快替我擬一個摺子，參劾李元度。」

李鴻章吃了一驚，唯唯諾諾地答應兩句，趕緊退了出來。

身材瘦小、戴著高度近視眼鏡、號稱「神對李」的皖南道台，是個人緣極好的人，眾幕僚紛紛為他鳴不平。李鴻章因為有昨天的大功勞，自覺在眾人眼中的地位大為提高，便儼然以首領的口氣說：「我們一起到曾大人那裏去，替李觀察說說情吧！」

大家都贊同。

當一羣幕僚出現在房門口時，曾國藩不知出了何事。李鴻章從隊伍中走出，向曾國藩鞠了一躬，說：「大家都說李次青丟失徽州府情有可原，這次就寬恕了他，給他一個帶罪立功的機會吧！」

原來是他煽動幕僚們來動搖自己的決策，曾國藩火了，氣得吊起三角眼，厲聲問：「李元度丟城失地，辜負了本督對他的期望，有什麼情可原，你說？」

當著衆人的面這樣凶惡地斥問，李鴻章很覺丟面子。他心想：我雖然是你的學生，也有三十七八歲了，也是朝廷任命的四品大員，昨天才幫你度過了難關，怎麼今天就不記得了？再說李元度是你要好的朋友，參劾他，於你臉上也不光彩。

想到這裏，李鴻章心裏有一股委屈感，壯起膽子分辯道：「李元度誠然犯有大錯，但門生聽說，綠營副將徐忠勾結長毛，是這次失守的主要原因。徐忠勾結長毛，能得到綠營官兵的支持，又因爲五個月未發餉銀。李次青到徽州僅只九天，要說追查責任，主要責任在張副憲。」

「張副憲守了六年徽州不曾丟失，你去找他吧！」曾國藩冷笑。

「要說失城就參劾，鮑提督先失了寧國府，正因爲寧國府丟了，才禍及徽州府，要參劾，得先參鮑超。」

「鮑超有丟寧國之罪，也有救祁門之功。李元度丟失徽州二十多天了，一面不露，他到哪裏去了。你們沒有聽到有人編「士不可喪其元，君何以忘其度」的對聯罵他嗎？」曾國藩凶狠地望著李鴻章，衆幕僚見狀不妙，都不敢作聲。

「恩師。」李鴻章見曾國藩仍不讓步，只得祭起最後一個法寶了，「李元度從咸豐四年跟隨您，六七年來戰功累累，恩師曾多次對人說過，於李次青有『三不忘』。今天何以這般計較他的一次過失，豈不會寒了湘勇將領們的心！」

李鴻章沒想到，恰恰是這幾句話把他的恩師逼到了懸崖邊。曾國藩又羞又怒，氣呼呼地從椅子上站起，吼道：「李少荃，你是要我徇私枉法嗎？李元度不參，天理何在？國法何在？」

「恩師一定要參李次青，門生不敢擬稿。」

李鴻章也生起氣來，倔強地頂了一句。門生的這句話，大出曾國藩的意外，他本想衝上前狠狠地訓斥一頓，猛地想起醜道人陳敷說的「雜用黃老之術」，拼命地將火氣壓了下去：

「好吧！不要你擬，我自己寫。」

李鴻章是個異常機敏的人，他早知將老營紮在祁門，在軍事上是一個絕大的錯誤，太平軍也決不會甘心這次失敗，倘若再來一次南北包圍，祁門將會岌岌可危。李鴻章有自己一番遠大抱負，他只能依仗老師上青雲，不願與老師共滅亡，現在正可趁此機會離開祁門了：「恩師既不需要門生，門生就告辭了。」

曾國藩先是一怔，隨後冷冷地說：「請自便！」

衆幕僚見局面鬧得這樣僵，早已三三兩兩地先溜了。李鴻章剛要挪步走，又覺心中不忍：「恩師，祁門不可久駐。門生走後，請恩師速將老營移到東流。」

曾國藩側過臉去，看都不看一下，揮了揮手：「你走吧，不要亂了我的軍心。」

李鴻章心中一陣淒楚，恭恭敬敬地向恩師鞠了一躬，然後慢慢退出，悄悄地收拾行李，連夜和李元度一起，坐著小船離開了祁門。

不久，曾國荃從安慶前線來函，幾乎以哀求的口氣請大哥速移營東流。曾國藩讀畢大受感動，並由此想到李鴻章是眞心爲他著想，也由此減輕了對李元度的譴責。這年冬天，曾國藩終於將兩江總督衙門從祁門搬到了長江邊的東流。

現在，他要全力支持九弟攻打安慶了。

曾國藩

MEMO

曾國藩

MEMO

曾國藩

MEMO

曾國藩

MEMO

曾國藩

MEMO

曾國藩

MEMO

曾國藩

MEMO

國家預行編目

曾國藩野焚／唐浩明著.--初版.--臺北縣中和市：
漢湘文化, 1993〔民 82〕
面；　公分.--（歷史經典；4-6）
ISBN　957-8753-05-5　（平裝）
857.7　　82002749

歷史經典四

曾國藩野焚・卷一（全書三卷——血祭、野焚、黑雨）

發行人／胡明威
作　者／唐浩明
執行編輯／巫曉維
企劃印務／范揚松
行政秘書／余綺華　高伊姿
出版者／漢湘文化事業股份有限公司
台北縣中和市中山路二段三五〇號五樓
電話（02）22452239　傳真（02）22459154
E-mail:hanshian@mail.book4u.com.tw
郵撥帳號／1697754-9
户　名／漢湘文化事業股份有限公司
電腦排版／陽明電腦排版公司
內文製版／俊昇印製事業股份有限公司
內文印刷／全力印刷有限公司
裝　訂／吉翔裝訂印刷有限公司
電話（02）2962-7511
登記證／文聞・蔡兆誠・黃福雄・王玉楚律師
1993年4月初版一刷　2001年8月初版六刷
單本定價160元　套裝九本特價1,250元
本書透過中國湘普信息公司獲得國際中文繁體字版權

線上總代理◆華文網股份有限公司
網　址◆http://www.book4u.com.tw
〔紙本書平台〕華文網網路書店
〔電子書平台〕Online Books電子書中心　華文電子書中心
香港總經銷◆漢鴻圖書有限公司
香港九龍塘觀開源道55號開聯工業中心A座1226
電話：002-852-2343-8466　傳真：002-852-2343-8440

總經銷
旭昇圖書有限公司
地址：台北縣中和市中山路二段352號2F
電話：（02）2245-1480　傳真（02）2245-1479

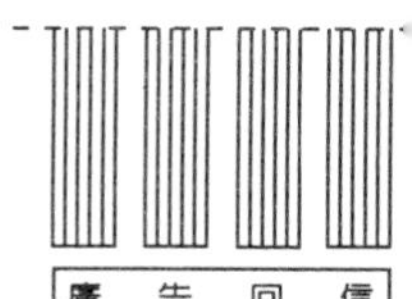

漢湘文化事業股份有限公司

地址：台北縣中和市中山路二段350號5樓
電話：（02）2245-2239
傳眞：（02）2245-9154

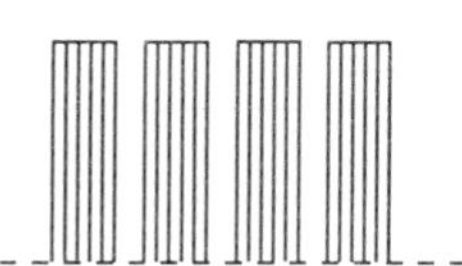

姓名：＿＿＿＿＿＿＿

性別：＿＿男＿＿女

生日：＿＿年＿＿月＿＿日

電話：（　）＿＿＿＿＿＿

傳眞：（　）＿＿＿＿＿＿

地址：＿＿＿＿＿＿＿＿＿＿＿＿＿＿

請沿虛線剪下裝訂，謝謝！

讀者服務卡

謝謝您購買這本書。
爲加強對讀者的服務，請您詳細塡寫本卡各欄，寄回給我們（免貼郵票），您即可收到本公司的出版訊息。

您購買的書名/ ________________

購買地點/ ____________ 縣市 ____________ 書店

教育程度/□高中以下（含高中） □大專 □大學 □研究所（含以上）

職　　業/ ____________ 職位別/ ____________

您目前迫切需要哪方面的知識？ ____________

您覺得本書封面及內文美工設計/

□很好 □好 □差 □很差

您對書籍的寫作是否有興趣？

□沒有 □有（我們會盡快與您聯絡）

100字書評（請寫下您閱讀本書的心得及感想）

其他建議（請列出本書的錯別字，當另外致贈精美禮品）：

漢湘文化

漢湘文化

漢湘文化

閱讀新視界・生活新主張